POMPÉI

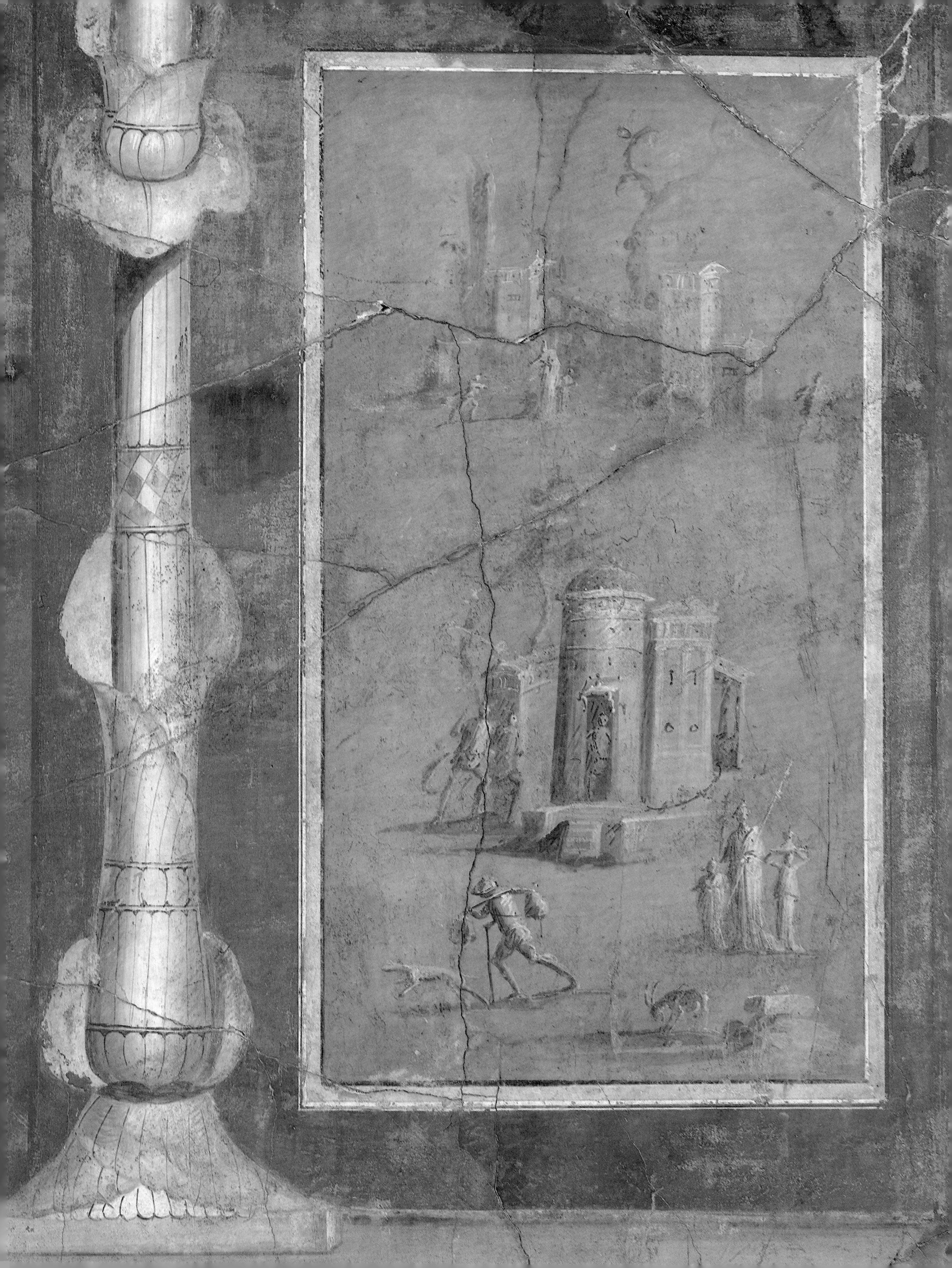

POMPÉI

TEXTE D'ANTONIO VARONE

PHOTOGRAPHIES D'ERICH LESSING

TERRAIL

Illustrations de couverture

Paquius Proculus et sa femme

Fresque du quatrième style.
65 x 58 cm.
Maison VII, 2, 6, Pompéi.
Naples, Museo Archeologico Nazionale

Paysage architectural avec villa

Fresque du troisième style.
22 x 53 cm.
Pompéi.
Naples, Museo Archeologico Nazionale

Page précédente

Architecture peinte avec paysage

Fresque du début du troisième style.
197 x 194 cm.
Environs d'Herculanum.
Naples, Museo Archeologico Nazionale.

Page de droite

Colombes

Mosaïque du deuxième style.
113 x 113 cm.
Maison de la Mosaïque aux colombes, Pompéi.

Direction éditoriale : Jean-Claude Dubost et Jean-François Gonthier
Traduction : Françoise Liffran
Direction artistique : Hélène Lévi
Secrétariat d'édition : Aude Simon et Malina Stachurska
Réalisation graphique : Graffic, Paris
Flashage : Compo Rive Gauche, Paris
Photogravure : Litho Service T. Zamboni, Vérone

Une filiale du département Livre
de Bayard Presse S.A.
N° d'éditeur : 124
ISBN : 2-87939-077-X
Dépôt légal : septembre 1995
Printed in Italy

SOMMAIRE

Vénus enlevant sa sandale

Opus sectile (marqueterie de marbres polychromes). Ier s. apr. J. C.
29 x 24 cm.
Triclinium de la maison I, 12, 10, Pompéi.
Naples, Museo Archeologico Nazionale.

UNE TERRE, UN VOLCAN

Bacchus et le Vésuve

Fresque du quatrième style.
140 x 101 cm.
Péristyle de la maison du Centenaire, Pompéi.
Naples, Museo Archeologico Nazionale.

Bacchus est représenté sous la forme d'une gigantesque grappe de raisin, avec ses attributs : un tyrse, bâton couronné de feuilles de lierre, et une panthère. Derrière lui, le Vésuve dont les vignes verdoyantes constituaient une des principales richesses de Pompéi. Au premier plan, le serpent, symbole bienveillant de la fertilité du sol.

Ce matin du 24 août 79 de notre ère, le temps semblait s'écouler paisiblement au pied du Vésuve. C'était une région très fertile, à la population dense, regroupée dans d'importantes agglomérations ou répartie dans les nombreuses fermes, métairies et parcelles cultivées, qui constellaient le territoire et dispensaient les produits de la terre, tandis que le long de la côte se pressaient des villas de grand luxe, apanage de la riche aristocratie romaine.

Rien ne laissait présager le désastre imminent. À Pompéi, les hommes s'étaient rendus de bonne heure à leurs occupations quotidiennes, tandis qu'à l'intérieur des maisons, sur les braises de l'âtre, mijotaient déjà les plats qui devaient être servis le soir au dîner. Dans les fours des boulangers, des miches rondes, fendues en rosace, achevaient de cuire, et dans les fermes des environs on entassait les amphores et les jarres déjà prêtes à recueillir les fruits de la prochaine vendange.

Du parvis du temple de Vénus on voyait dans le lointain des navires qui, à la faveur d'une légère brise d'été, s'apprêtaient à accoster avec leurs précieux chargements en provenance de l'Égypte hellénisée, à l'escale maritime située à l'embouchure du Sarno, la rivière qui fertilisait et faisait verdoyer la vallée s'étendant au pied du Vésuve. Midi était passé depuis un moment et la chaleur estivale commençait à inciter les habitants à délaisser leurs activités et à aller se restaurer dans un des nombreux *thermo-*

Page de droite

Bacchus

Fresque du quatrième style.
81 x 67 cm.
Maison du Navire, Pompéi.
Naples, Museo Archeologico Nazionale.

Ci-dessous

Bacchus et le Vésuve

Détail.

polia[1], les gargotes de l'époque, avant de se rendre aux thermes pour y goûter après les fatigues de la journée la détente d'un bon bain. Mais soudain un puissant grondement fit lever tous les regards vers le Vésuve, la montagne qui étendait sur la cité son ombre protectrice se déployant depuis toujours derrière les colonnades du forum et du temple de Jupiter Capitolin en toile de fond du paisible paysage pompéien.

Cette fois-là pourtant, les yeux ne se tournèrent pas vers les vignobles qui montaient presque jusqu'au cratère et produisaient ce *Vesuvinum* si renommé. Le Vésuve que, dans la maison du Centenaire, un homme avait représenté à côté d'une aimable allégorie de Bacchus, sous la forme d'une gigantesque grappe de raisin, se révélait brutalement aux habitants incrédules dans sa véritable nature de volcan prêt à accomplir son œuvre d'extermination.

LA FUREUR DU VÉSUVE

La bouche du Vésuve, restée muette pendant de nombreuses années, projetait maintenant dans les airs, avec une violence inouïe, jusqu'à plus de vingt mille mètres – et bientôt trente mille –, une masse énorme de matières volcaniques, de cendres, qui, se dilatant dans l'air en un nuage noir, prit bientôt la forme d'un pin parasol, obscurcit tout le ciel alentour et rendit le jour semblable à la nuit. Les spasmes qui secouèrent violemment la terre firent ondoyer les maisons et reculer la mer. En un instant, les Pompéiens ébahis virent pleuvoir sur leurs têtes une terrible avalanche de lapilli[1] que le vent dirigeait vers eux et qui, en douze heures, allaient former une couche de près de trois mètres de hauteur, pénétrant dans les maisons, s'accumulant sur les toits qui s'écroulèrent sous leur poids, et envahissant tout.

Dans la nuit du 25, vers une heure du matin, la pression des gaz volcaniques ayant soudain diminué, la colonne éruptive s'éteignit, générant dans les sept heures qui suivirent une série de flux de roche en fusion et de *surges*, nuages ardents formés de très fines particules de cendres qui, se précipitant vers la plaine à la vitesse de 60 à 250 mètres par seconde, carbonisèrent les plantes et asphyxièrent les hommes, les enserrant dans une étreinte mortelle. Le flux qui provoqua à Pompéi les plus grands ravages, sur-

1. Voir glossaire en fin d'ouvrage.

tout en termes de vies humaines, déferla vers six heures du matin. L'écroulement du cratère d'éruption provoqua l'accumulation, par-dessus les lapilli recouvrant déjà la ville, d'une couche compacte de cinérite, cendres solidifiées, d'une épaisseur de 50 à 150 centimètres. Dans les jours qui suivirent, d'autres pierres ponces s'accumulèrent encore par-dessus sur près de 50 centimètres. Ce fut la dernière phase de l'éruption. Une couche de matières volcaniques haute de plus de cinq mètres recouvrait maintenant la cité et ses alentours.

L'effondrement du cône volcanique libéra une coulée de magma et de lave incandescente, qui, s'échappant par les failles, se précipita en direction de la ville voisine d'Herculanum. La cité fut rapidement ravagée par un fleuve de boue et les détritus s'entassant jusqu'à 12 mètres de hauteur et atteignant 22 mètres à proximité de la mer. Cette couche, en s'étendant et en se solidifiant, prit la consistance du tuf et envahit la cité d'une pâte épaisse qui la submergea entièrement. Les matières volcaniques qui provoquèrent la destruction des deux villes permirent de les conserver presque intactes jusqu'aux temps modernes.

Vue du port

Fresque du quatrième style.
24 x 26 cm.
Stabies.
Naples, Museo Archeologico Nazionale.

LES IMAGES DE LA MORT

Les Pompéiens, abasourdis et désemparés face au déchaînement des forces de la nature, avaient réagi de diverses manières. Certains, aux premiers signes du cataclysme, s'abritèrent de la pluie incessante de pierres en se cachant dans les maisons ou les caves. Beaucoup moururent ainsi sous leurs propres toits qui s'effondraient sous le poids des lapilli ou par les effets du tremblement de terre. De nombreux squelettes ont été retrouvés dans les maisons, étendus sur le sol, écrasés par les gravats, comme tout récemment dans celle de Julius Polybius. Il y a peu, on a dégagé une boulangerie (rég. IX, 12, 6)[2] dans laquelle gisaient, recroquevillés dans le coin d'une pièce, les squelettes des mules que l'on utilisait pour faire tourner les meules à farine. Les lourdes poutres soutenant une soupente s'étaient brisées sur l'échine des malheureuses bêtes qui avaient réussi à quitter l'écurie, mais

2. Pompéi fut divisée en neuf quartiers, ou régions, par les archéologues du XIXe siècle. Chacun d'entre eux comprend plusieurs *insulae*, blocs de bâtiments. À l'intérieur de ces blocs, les habitations sont elles aussi numérotées. Ainsi, l'indication IX, 12, 6 signifie que la boulangerie se situe au n°6 du bloc 12 dans la région IX.

étaient restées prisonnières de la demeure où, espérant revenir, les hommes les avaient abandonnées dans leur précipitation. Dans la célèbre maison de Paquius Proculus, un petit chien, dont la présence était annoncée aux visiteurs par une mosaïque à l'entrée, a été retrouvé roulé en boule sous un lit dans le coin habituellement réservé à l'*atriensis*, le gardien de la maison : le pauvre animal, suivant son instinct atavique qui cette fois lui fut fatal, avait cru pouvoir s'y réfugier.

Herculanum, qui ne fut concernée par les effets de l'éruption que dans un deuxième temps, donna à ses habitants plus de temps, et par là même davantage de chances de salut. Tous ceux qui tentèrent de s'échapper par la mer en furent empêchés par un effroyable raz-de-marée qui, faisant se retirer les eaux, puis les précipitant vers le rivage avec une violence inouïe, interdit aux navires de gagner le large. On a retrouvé sur l'ancien littoral une barque retournée ainsi que les squelettes de nombreuses personnes qui cherchèrent un improbable abri sous des arcades, prisonnières d'un côté de la mer en furie et de l'autre de la masse de boue qui avançait inexorablement vers eux.

De nombreux Pompéiens tentèrent la fuite, certains parvenant à emporter avec eux les objets les plus précieux ou ceux auxquels ils étaient les plus attachés. Ceux-là furent les plus heureux : au prix d'une marche de plusieurs heures, ils réussirent à s'éloigner suffisamment du Vésuve ou à se réfugier le long des pentes des monts Lattari tout proches, où ils purent se mettre à l'abri. Beaucoup continuèrent à s'agiter, errant comme des fantômes à travers la ville, marchant à tâtons dans l'obscurité sur la couche de pierres qui atteignait maintenant les toits des maisons basses. Ils furent rejoints au cours de cette interminable nuit par ceux qui, la pluie de lapilli ayant cessé, avaient cru que le phénomène avait pris fin et étaient revenus vers la ville. Il n'y eut pour eux aucune échappatoire : l'onde de choc des *surges*, avec son nuage ardent de gaz toxiques à très haute température, s'abattit sur eux avec une vitesse extraordinaire leur coupant net la respiration, leur brûlant les poumons et les tuant sur le coup.

Sur leurs corps se déposa une pluie de cendres incandescentes qui colla à leur peau, à leurs vêtements, comme un gant très fin, moulant chacun de leurs traits, l'expression de leurs visages. Refroidies et durcies, les cendres constituèrent bientôt une masse compacte et solide qui garda à l'intérieur les empreintes des

Bataille navale

Détail.
Fresque du quatrième tyle.
18,5 x 57 cm.
Temple d'Isis, Pompéi.
Naples, Museo Archeologico Nazionale.

corps qui, suivant le processus normal de décomposition des matières organiques, ne laissèrent bientôt plus dans la couche de cinérite que des cavités.

Dans le musée créé au XVIIIe siècle à Portici, dans la banlieue de Naples, par les Bourbons, organisateurs des premières fouilles officielles dans la région du Vésuve, était exposé dans une vitrine un morceau de cinérite qui, comme la matrice d'un moulage, conservait l'empreinte parfaite du sein d'une adolescente. Ce sein suscita l'émerveillement et l'émotion de Madame de Staël et inspira à Théophile Gautier la nouvelle *Arria Marcella*.

L'archéologue Giuseppe Fiorelli, qui par sa méthode donna une impulsion scientifique décisive aux fouilles de Pompéi dans la seconde moitié du XIXe siècle, eut l'idée d'injecter du plâtre liquide dans les cavités dont on avait pu déceler la présence. Ainsi, on vit surgir comme par enchantement les visages effrayés des victimes de l'éruption, les souffrances lancinantes du chien attaché à sa chaîne, essayant en vain de se soustraire à un destin cruel, les corps des fuyards, hommes, femmes, enfants, qui cherchaient désespérément une issue, saisis par la mort alors qu'ils tentaient de se protéger la bouche de leurs mains.

À Oplontis, dans les faubourgs de Pompéi, on a récemment moulé dans de la résine une femme qui emportait avec elle ses

Éruption du Vésuve

Détail
Huile sur toile
de Pierre-Jacques Volaire (1729-1802).
Richmond, Virginia Museum of Fine Arts.

bijoux et un petit sac contenant des pièces de monnaie, des bagues et des pierres précieuses. Au sud-est de la ville, on a depuis peu réalisé les moulages en plâtre d'autres victimes de l'éruption : un homme, en particulier, qui semble protéger de son corps une femme enceinte. Il y a quelques années, lors des fouilles de l'*insula occidentalis*, une scène hallucinante fut mise au jour : une mère tendant les bras pour saisir l'enfant que le père s'efforçait de lui faire passer, avant de tomber inanimé. Rien ne peut rendre aussi intensément le caractère tragique et dramatique de cette éruption que la découverte dans les cavités formées par les cendres solidifiées des corps de petits enfants déchiquetés, en proie aux souffrances de la mort.

LE RÉCIT DE PLINE

Pline le Jeune, témoin d'exception des événements qui entraînèrent la destruction complète d'un des sites les plus célèbres de Campanie, nous a laissé, dans deux lettres qu'il adressa à l'historien Tacite, une description précise et passionnante des phénomènes qui accompagnèrent et suivirent l'éruption. L'écrivain, qui se trouvait à Misène, auprès de son oncle Pline l'Ancien, commandant de la flotte prétorienne de la mer Tyrhénienne qui mouillait au large, a raconté en détail les diverses phases de l'éruption, la panique des habitants qui cherchaient désespérément à échapper à un sort cruel, la mort de son oncle qui, ayant fait lever l'ancre pour aller observer de plus près le phénomène avec la curiosité du savant, prit conscience de la gravité de la situation et résolut bien vite de porter secours aux populations qui attendaient de la mer leur unique chance de salut. Tout fut vain : l'accostage qu'il tenta à Herculanum fut impossible à cause du raz-de-marée précipitant contre le rivage d'immenses vagues aux roulements de tonnerre. Il se réfugia à Stabies, ville voisine, où il mourut aussitôt, victime des émanations de gaz.

Quand la furie aveugle de la nature se fut calmée, tout l'équilibre d'une région célèbre dans le monde antique pour la douceur de son climat, la variété de ses paysages, la fertilité de ses champs et l'intense activité de ses habitants était profondément bouleversé. Des cités entières avaient été englouties, les rues avaient disparu, les champs étaient devenus stériles : un spectacle de totale désolation s'offrait à ceux qui avaient échappé à la catastrophe.

FACE À FACE AVEC L'ANTIQUITÉ

Les rues de Pompéi

Les rues de Pompéi étaient pavées de dalles en basalte et bordées de hauts trottoirs. Toutes n'étaient pas pourvues d'égouts et devenaient impraticables les jours de pluie. De gros blocs de lave placés au milieu de la rue permettaient aux piétons de passer à pied sec d'un trottoir à l'autre, sans gêner pour autant les allées et venues des charrettes. On aperçoit très nettement le sillon laissé par les roues de chaque côté de ces blocs.
Certaines rues furent pavées dès le IIe siècle avant J. C., d'autres furent recouvertes de larges dalles de basalte à l'époque coloniale, en tout cas avant l'époque de César. D'autres encore, de simple terre battue, ne furent jamais pavées.

Les échos de l'ampleur de ce cataclysme, qui avec une brutalité sans pareille avait frappé une terre que les anciens qualifiaient de *felix*, heureuse, suscitèrent l'effroi et la terreur du monde contemporain. Martial, poète latin, ami de Pline le Jeune, qui chanta dans une lamentation funèbre empreinte d'une grande émotion le tragique destin de la région du Vésuve, se fit l'interprète de la stupeur ébahie qui saisit alors les esprits : « Voici le Vésuve, hier encore verdoyant et ombragé de vignes d'où autrefois coulaient à flots les vins savoureux, voici la montagne que Bacchus préféra même aux collines de Nyza et où les Satyres entremêlèrent leurs danses. Telle fut Pompéi, cité sacrée de Vénus, plus chère à ses yeux que Sparte même, et ici se dressa Herculanum dont le nom même était un hommage au héros. Tout gît maintenant submergé par les flammes et les cendres lugubres. Les dieux eux-mêmes voudraient aujourd'hui qu'il n'ait pas été en leur pouvoir d'accomplir cela. »

Tandis qu'à Herculanum, complètement submergée par la boue qui commençait à se solidifier, toute tentative était désormais vaine, à Pompéi on s'affairait à récupérer tout ce qu'on pouvait, en pénétrant dans les maisons par les toits encore visibles sous la couche de poussière et de lapilli. L'empereur Titus tenta de remédier à la situation en nommant des *curatores* chargés de protéger les ruines des pillards ; grâce à eux, sans doute, furent récupérées bon nombre des statues de bronze et de marbre qui ornaient le forum et les lieux publics. Mais l'entreprise se révéla vite inefficace en raison des risques et des coûts élevés qu'elle impliquait. Un lourd silence s'abattit alors sur la cité et sur son territoire, et la présence humaine dans la zone dévastée par l'éruption resta durant des siècles sporadique et marginale.

Via del Lupanare
Pompéi.

Pages suivantes

Passage piétonnier
permettant de traverser à pied sec les jours de pluie. Pompéi.

Anticipant de manière étonnante les émotions des modernes découvrant le site archéologique, le poète Stace, incrédule, se demandait, juste quelques années après la catastrophe qui avait anéanti des villes entières et rendu stériles des campagnes florissantes : « La prochaine génération des hommes croira-t-elle, quand renaîtront les moissons et que refleuriront ces déserts, que sous leurs pieds sont englouties des cités et des populations, et que les campagnes de leurs aïeux s'enfoncèrent ainsi dans les abîmes ? »

Quand, en effet, après des siècles d'oubli, les terrassiers de la maison de Bourbon, pénétrant sous la terre, redécouvrirent la ville, ses rues et ses places bordées de portiques, ses maisons et ses temples, ses boutiques et ses édifices publics, incroyablement bien conservés grâce à ces lapilli qui les avaient tout d'abord privés de vie, ils furent saisis de stupeur face à ce prodige.

LA REDÉCOUVERTE DE POMPÉI

Goethe, le plus illustre des visiteurs qui au XVIIIe siècle se rendirent sur le site des premières fouilles que les Bourbons avaient fait entreprendre de manière systématique, fut certes quelque peu déçu, mais sut apprécier immédiatement la révélation et la lumière nouvelle qu'apportait Pompéi à la connaissance de l'Antiquité. Pour lui, comme pour les hommes cultivés de son temps, l'idée de l'Antiquité était exclusivement celle qui émanait des pages admirables que les historiens latins de l'âge classique avaient dédiées à la Rome des Césars, ou de la magnificence des colonnes et arcs de triomphe, des amphithéâtres et des palais impériaux dont les vestiges célébraient la gloire. Ce message, empreint de noblesse et de rhétorique illuminait l'esprit des hommes émus et profondément admiratifs.

Face aux amas de pierraille maintenus tant bien que mal par un mortier, à ces habitations souvent étroites, à tous ces objets quotidiens d'apparence banale, le poète éprouvait quelque diffi-

Ci-dessus

Thermopolium

Taverne. Ier s. apr. J. C.
Pompéi.

Les *thermopolia*, sorte de comptoirs où l'on consommait des boissons chaudes (essentiellement du vin allongé d'eau) sont très nombreux à Pompéi : on en compte pas moins de 89. On pouvait y prendre un en-cas, dans l'attente du repas du soir. Les bancs en maçonnerie décorés de grossières mosaïques de marbre contiennent encore les jarres où l'on conservait les aliments.

Page de droite

Porte vue d'un thermopolium

Ier s. apr. J.C.
Herculanum.

Fontaine de carrefour

Calcaire. Ier s. apr. J. C.
Pompéi.

Rue
Herculanum.

Arc dit de Tibère
Ier s. apr. J. C.
Via di Mercurio, Pompéi.

culté à saisir les échos de cette grandeur de Rome qui l'avait tant fait rêver. Le dimanche 11 mars 1787, dans son *Journal du voyage en Italie*, Goethe évoqua ainsi ces « maisons de poupées », ces « modèles réduits en papier mâché ». Ces vestiges-là ne frémissaient pas du souffle « classique » et universel de l'Antiquité qui avait nourri ses idéaux. Toutefois Goethe ne pouvait pas, dans son génie, ne pas être conscient des perspectives tout à fait originales qui s'ouvraient ainsi à la connaissance : cette fois, c'était l'esprit de l'homme réel, tel qu'il avait vécu à cette époque, qui animait de sa présence concrète, de son existence matérielle, les pierres des édifices, des lieux de réunion, les murs des maisons. Exprimant l'essence même du sacrifice auquel avait été vouée la cité du Vésuve, il nota deux jours plus tard dans son journal cette phrase lapidaire, cynique en apparence : « De tant de catastrophes qui ont affligé le monde, peu ont fait don d'un si grand bénéfice aux générations futures. »

Lors de ces fouilles qui progressaient et s'étendaient peu à peu, on n'exhumait pas le monument unique, la ruine, la tombe, mais tout un contexte urbain, qui, brusquement interrompu dans un temps désormais immobile, se dévoilait dans toute sa complexité au monde moderne. C'était l'Antiquité même qui se dressait devant l'homme d'aujourd'hui pour lui révéler, jusque dans les moindres détails, et dans ses aspects les plus intimes et les plus secrets, les nuances et les mille facettes de la vie d'alors. Les goûts et les comportements d'une société disparue surgissaient de sous les gravats.

Ci-dessus

Forum

Détail.
Ier s. apr. J. C.
Pompéi.

On voit les stèles honorifiques sur lesquelles étaient placées les statues des citoyens illustres.

Page de droite

Scène de la vie du forum

Fresque. Milieu du Ier s. apr. J. C.
64 x 48 cm.
Maison de Julia Felix, Pompéi.
Naples, Museo Archeologico Nazionale.

Peinture représentant les statues équestres situées à proximité des portiques du forum.

LA NAISSANCE D'UNE CITÉ

Au moment de l'éruption de 79 qui mit un terme à son existence, Pompéi avait derrière elle une histoire dont les origines connues remontent à la fin du VIIe siècle av. J. C.

Apollon

Bronze. Ier s. apr. J. C.
Temple d'Apollon, Pompéi.
L'original est au Musée de Naples.

La statue, bien que reprenant des éléments stylistiques de l'art grec, est de facture typiquement italique par l'harmonie des volumes et la vivacité naturelle du mouvement.

L'emplacement choisi pour fonder la ville était une petite colline née d'une éruption du Vésuve à l'époque préhistorique, située à proximité du golfe où le Sarno, avant d'atteindre la mer, s'élargissait en une sorte de lagune, abri idéal permettant l'accostage des navires de fort tonnage. Le site présentait de nombreux inconvénients, en particulier pour l'approvisionnement en eau potable, qui avait nécessité l'excavation de puits profonds. Il est en effet exclu que Pompéi ait pu résulter d'une formation « naturelle », de l'accumulation spontanée de maisons et d'habitants dans un lieu d'intense communication : il n'est pas logique de penser qu'un lieu situé relativement haut, au bord d'une vaste plaine, se trouvât au croisement d'importantes voies de transit qui, plutôt que de le traverser, auraient pu aisément le contourner. L'intérêt de ce site tient avant tout à sa remarquable position stratégique qui permettait de contrôler, depuis les hauteurs, l'escale maritime à l'embouchure du Sarno, mais aussi toute la côte.

LES OPIQUES

Les fouilles archéologiques ont mis en évidence dans la vallée du Sarno plusieurs nécropoles, de nombreux villages, préhistoriques ou immédiatement postérieurs. Tous sont situés aux abords du fleuve, tels le village de l'âge du Bronze découvert très récemment près de l'embouchure, dans la localité de San Abbondio, dans la Pompéi moderne, ou celui de Sarno, près d'une des sources, ou encore ceux dont on connaissait l'existence entre le IXe et le VIe siècle av. J. C. en divers endroits de la vallée, à Striano, San Marzano, San Valentino Torio.

Ces populations d'ethnie opique qui vécurent dans la vallée à la fin de la préhistoire se consacraient essentiellement à l'agriculture et semblaient mener au début une vie sédentaire, socialement peu hiérarchisée. Par la suite, tout en continuant à vivre en petites mais nombreuses communautés qui disposaient chacune d'un vaste territoire le long de la vallée, cette société, grâce à l'apport d'éléments culturels extérieurs et surtout aux échanges commerciaux avec la colonie que les Grecs avaient fondée à Cumes vers le milieu du VIIIe siècle av. J. C., commença à se structurer en diverses classes. Les plus aisées exhibaient volontiers, comme en témoignent les trésors funèbres garnissant leurs tombeaux, les signes distinctifs de leur rang et de leur aisance économique.

Ce cadre fut soudain bouleversé par l'apparition d'un élément tout à fait nouveau et, pour ainsi dire, révolutionnaire : la formation de la cité.

Ci-dessus

Colonnes en tuf

Fin du IIe s. av. J. C.
Forum, Pompéi.

On peut encore voir sur le côté sud-est du forum les colonnes en tuf gris de Nocera appartenant au premier portique que fit ériger le questeur Vibius Popidius à la fin de l'ère samnite.

Page de droite

Colonnes du forum

Détail.

LES ÉTRUSQUES, LES GRECS ET LA FORMATION DE LA VILLE

Le choix pour la création de Pompéi d'un site relativement élevé et escarpé du côté donnant sur la mer ne peut avoir que des motifs stratégiques, de contrôle et de protection sur la façade maritime de l'embouchure du Sarno, principale voie d'accès vers la vallée fertile. D'ailleurs Pompéi sera pendant un certain temps entourée de remparts qui enserraient la colline tout entière, les habitations n'occupant encore qu'une faible partie du territoire, limitée aux alentours du forum et à la terrasse qui le prolonge vers le sud-est.

La fondation de la cité est probablement liée à la pénétration des Étrusques en Campanie méridionale. Ce peuple fondateur de Rome, possédant des matières premières, tel le fer, très demandé à l'époque, avait vu s'accroître sa puissance économique et, par ses échanges commerciaux avec le monde grec, avait bénéficié d'un fort essor culturel. Mais désormais ils estimaient que les puissantes et florissantes colonies que les Grecs avaient implantées le long des côtes, de Campanie et d'ailleurs, pour protéger et desservir leurs propres routes commerciales, constituaient un obstacle à l'expansion étrusque vers l'Italie du Sud.

Cette civilisation était essentiellement urbaine. Il semblerait que les Étrusques se soient appuyés sur la population locale pour s'organiser en des noyaux fortifiés aux visées stratégiques évidentes. Cette hypothèse est confortée par le fait que presque au même moment surgirent dans la plaine du Sarno deux villes : Pompéi, qui devait surveiller l'escale maritime et fluviale, et Nocera, située à la limite opposée de la vallée, dans la gorge étroite qui sépare les contreforts des Apennins des monts Lattari, et qui devait assurer le contrôle des voies de communication terrestre entre la Campanie méridionale et le Sud. L'histoire de ces deux cités sera par la suite étroitement liée.

Durant cette première phase, deux sanctuaires, qui dans l'Antiquité constituaient de puissants pôles d'attraction, seront édifiés à Pompéi : le premier, dédié à Apollon, à proximité de l'espace ouvert de marché et de réunions au centre de la cité, qui deviendra le forum ; le second, un temple dorique qui se dresse sur la terrasse sud et donne directement sur la mer. Érigé sur un pic rocheux et facilement reconnaissable depuis le large, il constituait aussi un précieux point de repère pour la navigation côtière. Des éléments tels que la dédicace du premier temple à Apollon ou les colonnes de style dorique du second montrent combien l'apport culturel des Grecs avait été déterminant chez les Étrusques. Des analyses stratigraphiques effectuées à l'intérieur du sanctuaire d'Apollon ont mis en évidence une présence importante d'objets d'importation grecque, et d'autres, en *bucchero*, céramique noire typique de la civilisation étrusque. Quelques-uns portaient aussi des inscriptions tracées en langue étrusque, témoignage de la présence active de ce peuple dans la cité, de même que dans la péninsule de Sorrente et la vallée du Sarno, jusqu'à Nocera. La complexité du tissu social et ethnique en Campanie méridionale

Ci-dessus

Stèle honorifique

Ier s. apr. J. C.
Forum, Pompéi.

Détail de la stèle en marbre. Elle portait la statue de Quintus Sallustius, magistrat aux pouvoirs de juge et de censeur qui fut aussi « patron de la colonie » : il défendit les intérêts de Pompéi auprès de la cour de Rome.

Page de droite et pages suivantes

Portique du forum avec colonnes en travertin

Fin du Ier s. av. J. C.
Pompéi.

À l'ère d'Auguste, les colonnes en travertin, doriques pour la rangée inférieure et ioniques pour la supérieure, remplacèrent en partie les colonnes en tuf érigées à la fin du IIe s. av. J. C.

durant cette période est attestée par la découverte à Nocera et à Vico Equense de deux inscriptions en un alphabet propre à cette zone, dont on trouve également des traces au centre de l'Italie. Ces inscriptions apportent des renseignements précieux sur les autochtones italiques de la vallée du Sarno, que les plus anciennes traditions historiographiques évoquent sous le nom d'Opiques.

Ci-dessus et page de droite

Fragments de l'architrave d'un portique

Ier s. av. J. C.
Forum, Pompéi.

L'architrave du portique, refait en travertin à l'époque d'Auguste, soutenait une seconde rangée de colonnes ainsi que le sol d'un déambulatoire surélevé depuis lequel on dominait la place.

LA VENUE DES SAMNITES

Après la chute définitive de la puissance étrusque, entraînée par la coalition des cités grecques après la seconde bataille de Cumes en 474 av. J. C. et plus tard, vers la fin du Ve siècle av. J. C., par le déferlement depuis les hauteurs des Apennins des tribus samnites, la région va connaître des changements profonds.

Les Samnites s'emparent du territoire que les Grecs de la côte, alors dominateurs incontestés de la Campanie, sans doute rassasiés après avoir définitivement éliminé le péril étrusque, n'avaient pas voulu ou su occuper de manière stable. Pompéi devient alors une cité osque, qui fait partie, selon les mœurs politiques samnites, d'une confédération de cités ayant à sa tête Nocera, et comprenant aussi Herculanum, Sorrente et Stabies.

La création d'Herculanum remonte probablement à l'époque samnite. C'est une modeste citadelle, située sur un éperon rocheux dominant la mer, entre deux fleuves qui coulent au pied du Vésuve. Les fouilles n'ont pas jusque-là relevé la présence d'éléments antérieurs au IVe siècle avant J. C., bien que des sources antiques revendiquent une origine nettement plus ancienne : elle aurait été fondée par Hercule et a appartenu, entre autres, aux Opiques, puis aux Étrusques, et ensuite aux Samnites. Les fouilles effectuées dans la cité ne concernent qu'une faible partie de la zone habitée, s'étendant sur à peine cinq hectares.

À l'époque samnite, Pompéi commence à s'étendre. Des blocs de maisons presque carrés sont construits à l'est de la via Stabiana qui, dans la future implantation de la cité romaine, constituera ensuite, en se prolongeant vers la porta Vesuvio, le principal axe nord-sud de la ville, dit *cardo*. La cité continuera à s'étendre surtout vers le nord, dans la zone aujourd'hui appelée région VI, qui à l'époque la plus archaïque restait encore, malgré une intense activité, à l'écart du noyau urbain. C'est là que les dignitaires samnites construisent leur quartier résidentiel, réparti en blocs rectangulaires aux formes très allongées, surplombant la via di Mercurio, dans le prolongement nord de la via del Foro. Leurs maisons se sont conservées au fil des époques jusqu'à la destruction de la ville en 79, sans que des modifications importantes en aient altéré la structure ou l'aspect d'origine.

De nouvelles fortifications, plus puissantes, sont construites, utilisant – au lieu de la pierre de lave locale à la consistance de tuf, qui avait servi à l'édification des premiers remparts – le calcaire plus granitique des contreforts des Apennins aux sources du Sarno. Ces remparts seront ensuite, sans doute à cause de l'expédition d'Hannibal à la fin du IIIe siècle av. J. C., renforcés, et plus tard, à la fin du IIe siècle, enrichis et embellis par une série de solides tours bien alignées, disposées à intervalles réguliers, blanchies à la chaux, qui monteront la garde au-dessus de la plaine et seront le symbole de la puissance de la cité.

HANNIBAL EN CAMPANIE

Les incursions et les pillages perpetrés par l'armée d'Hannibal, l'un des plus grands chefs de guerre de l'Antiquité, dans la vallée du Sarno au cours de la seconde guerre Punique laissèrent des blessures profondes sur tout le territoire. Nocera, la capitale de la confédération osque de la Campanie du Sud qui, après les guerres samnites, était devenue la fidèle alliée de la puissance romaine, fut assiégée et détruite par les Carthaginois. De nombreux habitants furent accueillis dans les cités voisines, en particulier à Atella, où se réfugia la majorité de la population dans l'attente de la reconstruction.

Avec la fin de la guerre Punique, Pompéi connut une nouvelle extension vers l'est. De nouveaux blocs d'habitations rectangulaires furent bâtis le long des deux grands *decumani*, c'est-à-dire les axes est-ouest, de la via di Nola au nord, et de la via dell'Abbondanza au sud, la prolongeant au-delà de son ancien tracé et étendant la zone habitée jusqu'à la limite est des fortifications. La colline volcanique que les anciens, prévoyants et sages, avaient dès les premiers temps entourée de murailles, fut presque entièrement recouverte.

Dans cette zone, des fouilles stratigrafiques récentes ont montré qu'une série de maisons disposées en cases d'échiquier, peu étendues en surface mais strictement identiques, furent construites autour d'une cour intérieure, avec, à l'arrière, un potager. À l'époque suivante, le besoin de logements s'étant estompé avec la fin de la reconstruction de Nocera, ces maisons seront démolies afin de faire place à de vastes espaces verts : des vignes ou des jardins y seront cultivés, où l'on produira des essences florales servant à la fabrication des parfums.

LES FASTES DE LA DERNIÈRE PÉRIODE SAMNITE

Portique du forum triangulaire
IIe s. av. J. C.
Pompéi.

Le portique est un des vestiges du forum triangulaire, un des plus anciens lieux de réunion publique de la cité, construit dans la deuxième moitié du IIe s. av. J. C.
S'insérant dans un plan d'urbanisme précis, le forum triangulaire est relié architecturalement et idéologiquement au quartier des théâtres.

Vers la fin de la période samnite, dans les dernières décennies du IIe siècle av. J. C., Pompéi vécut une des périodes les plus florissantes de son histoire. Les nouveaux débouchés commerciaux que l'allié romain avait offerts au monde italique dans le bassin méditerranéen, surtout en direction de l'Orient, apportaient un autre bien-être à une société où la classe dominante bénéficiait déjà d'une solide structure économique et productive centrée sur le grand domaine agricole, le latifundium. Les richesses que les hommes d'affaires avaient accumulées grâce à leurs fructueux trafics sur les routes maritimes se reflétaient largement dans la vie de la cité.

Vers la fin du siècle, un ambitieux programme de rénovation immobilière anime Pompéi : un portique à deux rangées de colonnes superposées, d'ordre dorique en bas et ionique pour la partie supérieure, reliant entre eux des éléments d'époques et d'orientations diverses, donne une allure monumentale à la place centrale, le forum. Le temple dédié à Jupiter, le plus important édifice religieux de la ville, situé dans l'axe longitudinal de la place, referme la perspective au nord. Sont construits vers la fin du IIe siècle le *macellum*, le marché de la viande et du poisson, à l'est du temple, puis la *basilica*, le principal édifice public où s'administre la justice, centre de la vie publique où l'on se rencontre pour traiter des affaires et se tenir au courant des événements du jour.

Un autre lieu public important est également construit à cette époque près du temple dorique. Doté d'un accès monumental et de propylées à colonnes ioniques du côté orienté vers le cœur de la ville, l'espace, de forme irrégulière, vaguement triangulaire, acquiert une géométrie précise par le jeu d'un triple portique qui se prolonge vers le sud et s'ouvre sur la terrasse en une vaste perspective donnant sur la mer et, à l'arrière-plan, sur les monts Lattari.

Ce terre-plein, sur lequel était installé déjà un gymnase, est alors habilement relié au flanc de la colline le long du pic

rocheux sud-est, dans lequel sont creusés les gradins d'un grand théâtre en plein air. Le temple dorique, qui clôt ainsi l'esplanade du théâtre et sert de lieu de culte à la divinité à laquelle étaient dédiées les représentations (célébrant à l'origine les mystères sacrés), s'inscrit dans un projet architectural d'inspiration nettement hellénistique. L'ensemble est complété par un vaste portique, situé derrière la scène, qui sert de foyer lors des entractes ou entre deux spectacles et qui est commun à un petit théâtre contigu, couvert, et conçu pour les spectacles lyriques, c'est-à-dire de poésies récitées au son de la lyre.

Cependant ce programme architectural ne put être achevé au cours de la période samnite. Les événements se précipitaient et la révolte des peuples italiques contre Rome menaçait. À la différence des guerres des siècles précédents, il ne s'agissait plus cette fois pour les Samnites d'affirmer leur suprématie, et moins encore leur indépendance vis-à-vis d'une puissance qui avait conquis une bonne partie du monde, mais d'obtenir la citoyenneté romaine tant convoitée, avec tous les bénéfices juridiques et économiques qui en découlaient.

Ci-dessus

Autel

Marbre. Ier s. apr. J. C.
Temple de Vespasien, Pompéi.

Page de droite

Scène de sacrifice

Détail.
Bas-relief en marbre. Ier s. apr. J. C.
Autel du temple de Vespasien, Pompéi.

L'autel, préservé des pillages qui suivirent l'éruption, s'orne sur le côté tourné vers le forum d'un bas-relief représentant un sacrifice. Le sacrificateur et son aide amènent le taureau qui va être immolé tandis que le prêtre, la tête recouverte d'un voile, verse des libations sur un tripode. Au deuxième plan, un flûtiste, des licteurs, porteurs d'insigne de magistrat, et les servants du rite portent les accessoires nécessaires à la cérémonie.

LA COLONISATION ROMAINE

Durant cette guerre sociale (de 90 à 88 av. J. C.), les alliés italiques affrontèrent les armées du général romain Sylla. Pompéi fut assiégée : au moment de l'éruption, cent soixante-dix ans plus tard, elle portait encore les traces de ces événements dramatiques : au coin de certaines rues, des inscriptions en osque indiquaient aux troupes des cités confédérées accourues en renfort comment se déployer le long des remparts pour bloquer l'assaut ennemi. Mais tout fut vain. Face à la puissance romaine, Pompéi fut soumise et contrainte à capituler. Herculanum subit le même sort.

Conquise par les troupes de Sylla, Herculanum devint un municipe, tandis que Pompéi fut proclamée en 80 av. J. C. colonie de droit romain. Dès lors, comme les autres centres urbains de la région, elle sera étroitement dépendante des orientations politiques, administratives, sociales et économiques des nouveaux maîtres. Ceux-ci évincent des commandes du pouvoir l'ancienne aristocratie osque et s'emparent de ses vastes domaines, sur lesquels ils font construire de luxueuses villas, transformant bientôt

L'odéon

Cavea et *proedria*.
Première moitié du Ier s. av. J. C.
Pompéi.

Le Petit Théâtre, couvert, avait une capacité d'environ 1 500 places et était destiné aux spectacles lyriques, c'est-à-dire aux récitals de poésie accompagnés à la lyre.
Au bout de la balustrade qui séparait la *cavea* de la *proedria* – les gradins plus larges devant la scène réservés aux notables – de fins reliefs en tuf représentent une patte de lion ailée. Plus haut, on remarque un télamon, lui aussi en tuf.

Pompéi, comme tant d'autres cités de Campanie, en un lieu de villégiature très prisé des riches Romains. Si la salubrité du climat, l'incomparable beauté du paysage sont idéales pour la vie oisive des maîtres, l'exceptionnelle fertilité des sols et l'utilisation d'une main-d'œuvre d'esclaves au prix de revient dérisoire garantissent de très forts rendements agricoles et de solides revenus fonciers et immobiliers. Les noms des nombreux aristocrates romains qui eurent des propriétés à Pompéi sont connus. Le plus célèbre d'entre eux à l'époque de la République est sans aucun doute le grand orateur et homme politique Marcus Tullius Cicéron (106-43 av. J. C.), qui a laissé de nombreuses lettres écrites depuis son cher *Pompeianum*.

L'odéon
Première moitié du Ier s. av. J. C.
Pompéi.

L'architecture de cette période se doit d'être conforme aux canons du nouveau régime. Les magistrats samnites ayant été proscrits, leurs prestigieuses demeures passent aux mains des colons romains, qui les restructurent. Le temple de Jupiter devient le Capitole, symbole tangible de la puissance de Rome sur la cité indépendante devenue colonie ; les anciens thermes de Stabies sont restaurés et de nouvelles installations thermales sont construites à proximité du forum. Près de la basilique, sur une terrasse artificielle – afin d'être bien visible de la mer, comme le temple dorique – est érigé un nouveau temple consacré à Vénus, la déesse protectrice de Sylla, habilement associée à la divinité locale de la force génératrice de la nature, à qui la cité est consacrée sous le nom de Colonia Cornelia Veneria Pompeianorum, « du culte de Vénus Pompeiana ».

Pour tracer un nouvel axe rectiligne à la sortie nord-ouest de la ville, on n'hésite pas à couper en deux la splendide villa de Diomède. Mais le programme de construction dans le quartier des théâtres est couronné par la création d'une salle couverte, tandis qu'à l'extrême périphérie sud-est est édifié un amphithéâtre de vingt mille places, le plus ancien qui nous soit parvenu, vraisemblablement déjà en projet à l'époque samnite.

LA NOUVELLE ÈRE D'AUGUSTE

Avec le règne d'Auguste (27 av. à 14 apr. J. C.) et l'avènement de l'ère impériale, l'architecture se fait solennelle et propagandiste. Auguste, qui eut la tâche délicate de mener Rome vers une forme de gouvernement mieux adaptée à ses caractéristiques de grande

Télamon

Sculpture en tuf.
Première moitié du Ier s. av. J. C.
Odéon, Pompéi.

Les télamons en tuf de l'odéon de Pompéi sont un exemple très significatif de la tradition sculpturale issue de la culture hellénistique, encore très vivante aux premiers temps de la colonisation romaine.

puissance, avait grand besoin de se sentir soutenu et approuvé par son peuple. Il lui fallait consolider ce pouvoir qu'il avait progressivement conquis, mais qu'il n'exerçait qu'en monopolisant une série de compétences constitutionnelles maintenues par le truchement d'une habile fiction juridique dans le cadre du vieil ordre républicain. Le passage sans heurts de la république à l'empire l'obligeait à susciter un très large consensus s'appuyant sur les administrations municipales de la péninsule.

Masque théâtral
Détail.
Fresque du deuxième style.
118 x 60 cm.
Rég. VI, *insula occidentalis*, 4, Pompéi.
Naples, Museo Archeologico Nazionale.

Cette nouvelle ligne politique avait besoin du soutien des riches bourgeoisies locales. L'exemple de Pompéi est tout à fait éclairant à ce sujet, d'autant plus que, dans la nouvelle répartition administrative, Auguste avait fait rattacher la Campanie au Latium pour former la première région administrative. Nous voyons donc durant la première ère impériale les représentants des vieilles familles autochtones, qui avaient constitué la structure portante de la société avant d'avoir été évincées de la vie publique sous Sylla, se rapprocher progressivement des plus hautes instances du pouvoir. Auguste leur accordera ses faveurs, concédera à certains de leurs membres le rang de chevalier ou des bénéfices concrets. Il les verra avec bienveillance retrouver dans la vie locale la position sociale de premier plan qui avait été l'apanage de leurs ancêtres. En retour, de vastes couches de la population rendront à l'empereur un culte, célébré par les *Augustales*, les prêtres d'Auguste, de riches affranchis auxquels on accordera enfin un rôle officiel en rapport avec leur pouvoir économique et leurs talents d'entrepreneurs, les fonctions de magistrats leur restant interdites par leur naissance. Prenant en charge et – parfois en complément aux deniers de l'État – finançant directement la construction d'admirables édifices publics, ils vont donner l'écho nécessaire à la propagande augustéenne.

En effet, la paix sociale reconquise, le nouvel ordre doit aussi se manifester par des réalisations qui illustrent concrètement le bien-être et l'aisance que le nouvel « âge d'or » répand sur le monde romain. La cité se pare alors de marbres, de statues ; sur le forum, une série de colonnades en travertin, pierre décorative d'une blancheur marmoréenne, vient enrichir ou remplacer peu à peu les anciennes colonnes en tuf. L'ancien pavement est remplacé par des dalles de travertin sur lequel se déploie une inscription élogieuse en lettres de bronze. Les principaux édifices de la ville sont restaurés, agrandis, embellis. Les producteurs et expor-

Rixe dans l'amphithéâtre

Fresque réalisée entre 59 et 79 apr. J. C.
169 x 185 cm.
Maison I, 3, 23, Pompéi.
Naples, Museo Archeologico
Nazionale.

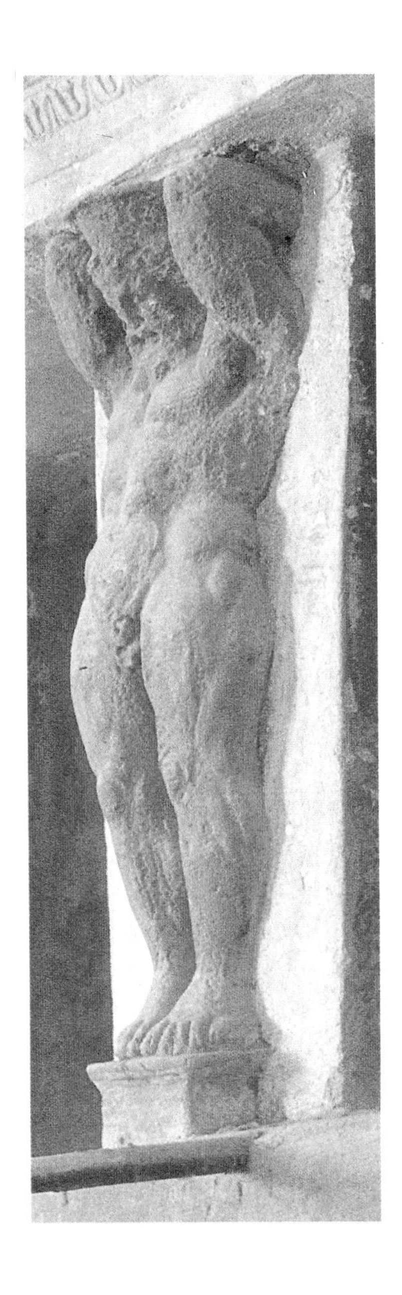

Page de droite et ci-dessus

Tepidarium

Ier s. av. J. C.
Thermes du forum, Pompéi.

La décoration architecturale, toute en clairs-obscurs, avec des télamons en terre cuite qui soutiennent la voûte en berceau et encadrent une série de niches profondément encaissées, remonte à l'origine de la construction, au début du Ier siècle avant J. C. Les stucs polychromes de la voûte, fruit des restaurations qui suivirent le tremblement de terre de 62, appartiennent au quatrième style. Sur le sol, le gros brasero qui chauffait la pièce et les bancs de bronze, aux pieds ornés de pattes d'animaux et de têtes de vache, allusion à leur donateur, un certain Nigidius Vaccula.

tateurs de vin font orner le grand théâtre d'une galerie supérieure à double arcade extérieure, qu'ils dédient à Auguste. Un certain Tullius fait construire sur un terrain lui appartenant un temple dédié à la Fortuna Augusta et, pour favoriser les activités sportives à caractère paramilitaire qu'Auguste encourage ardemment, un gymnase, avec au centre une grande piscine, est installé à proximité de l'amphithéâtre. À Herculanum, un autre citoyen, du nom de M. Nonius Balbus, fait ériger une basilique et supervise la restauration des remparts. Une entreprise colossale, la construction d'un nouvel aqueduc amenant l'eau des montagnes jusqu'à la flotte mouillant à Misène dans le golfe de Naples, permet enfin d'alimenter Herculanum et Pompéi en eau courante : non seulement leurs fontaines publiques et leurs thermes, mais jusque dans les maisons. Les jardins vont pouvoir s'embellir de vasques, de statues ou de niches décorées de mosaïques en pâte de verre polychrome, et même de nymphées monumentales qui par les chaudes après-midi rafraîchiront du tranquille murmure de leurs jets d'eau les habitants et leurs invités.

LES SUCCESSEURS D'AUGUSTE

Les empereurs qui succèdent à Auguste, en particulier Tibère, poursuivent cette politique et cette propagande impériale dont l'architecture reste le témoignage le plus tangible. Un des exemples les plus caractéristiques en est l'édifice que la prêtresse Eumachie fait construire sur le forum pour la corporation des foulonniers, qui abritait également les lainiers, les teinturiers, les lavandiers, et servait de siège à des activités commerciales diverses. Son imposant vestibule s'ornait de statues et de dédicaces à la gloire des illustres ancêtres de la *gens* Julia, la dynastie impériale. L'arc de triomphe érigé à l'est du temple de Jupiter refermait le forum du côté nord, et accueillait probablement dans ses niches les statues de personnages de la famille impériale. Une statue équestre couronnait le monument. L'arc de triomphe situé plus au nord sur la même route, à l'entrée de la perspective majestueuse de la via di Mercurio, était probablement dédié à l'empereur Tibère.

Pompéi connut alors et pendant quelques décennies une vie tranquille et prospère. En 59, de graves désordres éclatent cependant entre les habitants de Nocera et de Pompéi : une violente

rixe dans l'amphithéâtre sera brutalement réprimée par le pouvoir central, qui craignait un soulèvement populaire. La querelle avec Nocera portait sur les territoires accordés par Néron à cette cité lorsqu'il en avait fait une colonie romaine.

LES TREMBLEMENTS DE TERRE PRÉCÉDANT L'ÉRUPTION

Le grand événement qui bouleversa la vie de Pompéi fut le tremblement de terre du 5 février 62 de notre ère. Malgré le désastre, la cité sut trouver la force de réagir, et une imposante entreprise de reconstruction, tant des habitations privées que des édifices publics, la transforma pour de nombreuses années en un immense chantier. Faisant preuve d'une extraordinaire énergie, les citadins firent réaliser à cette occasion des bâtiments nouveaux, comme les grandioses thermes centraux qui occupaient tout un pâté de maisons au croisement de la via Stabiana et de la via di Nola et comme le temple des *Lares Publici*, peut-être édifié dans le forum pour exorciser le *prodigium* qui avait été fatal à la ville.

Certes, le pouvoir central soutint les efforts de reconstruction des Pompéiens : d'abord Néron, que nous trouvons fréquemment glorifié dans des inscriptions aux côtés de sa femme Poppée, originaire de Pompéi, puis l'empereur Vespasien, auquel un temple du forum était dédié. Malgré ces efforts, les projets ne purent être menés à terme. D'autres secousses ravagèrent à nouveau la cité peu de temps avant l'éruption du Vésuve. Comme les études les plus récentes l'ont révélé, c'est à cette catastrophe, et non au séisme de 62, qu'il faut attribuer la découverte d'édifices publics non utilisés ou encore de travaux de restauration alors en cours dans diverses demeures.

Lorsque, le 24 août 79 de notre ère, l'éruption mit un point final à son histoire séculaire, la ville était encore occupée à soigner les blessures que lui avaient infligées de multiples secousses telluriques. Le Vésuve, la puissante montagne qui semblait protéger la cité de l'ombre de ses vignobles, fut le doigt de feu par lequel les forces de la nature s'abattirent sur Pompéi, scellant définitivement son destin.

Page de gauche

Calidarium

Ier s. av. J. C.
Thermes du forum, Pompéi.

La pièce destinée au bain chaud est équipée sur le côté nord d'une vasque de marbre où était versée l'eau portée à haute température dans de vastes chaudières. La vapeur se répandait entre le sol et le pavement surélevé par des tuyaux en argile et remontait par l'interstice entre la paroi et le revêtement mural. Ainsi la pièce devenait un immense radiateur.
On remarquera la voûte en berceau dotée de cannelures en stuc pour canaliser la vapeur.
Au premier plan, une piscine en marbre, *labrum*, avec des jets d'eau froide qui permettaient de se rafraîchir rapidement. L'inscription en bronze qui court le long de la bordure évoque les magistrats qui firent édifier ces installations et le montant versé par les finances publiques : 5 250 sesterces, une somme considérable (une miche de pain coûtait un demi-sesterce).

Ci-dessous

Vasque du calidarium

Détail.

À LA RECHERCHE D'UNE IDENTITÉ

La bataille d'Alexandre à Issos
Détail : Darius.
Mosaïque du premier style.
Maison du Faune, Pompéi.
Naples, Museo Archeologico Nazionale.

Les témoignages concernant la période la plus ancienne de la vie de la cité n'offrent pas un éclairage suffisant sur la société qui s'y développa. Les grandes lignes de la vie culturelle n'ont pu être reconstituées qu'avec peine, grâce aux rares éléments fournis par les fouilles. Il faut attendre au moins la deuxième période samnite, à partir du IIIᵉ siècle av. J. C., pour retrouver des indications assez riches qui nous permettent de distinguer la structure, la conformation et la décoration de certaines habitations.

Mais avant d'aborder cette période, il nous faut apporter quelques précisions sur les Osques, la population qui habitait alors Pompéi, et plus généralement sur les peuples italiques de souche samnite, dont les Osques faisaient partie et auxquels la tradition historique n'a pas rendu justice.

CULTURE ET GOÛTS À L'ÉPOQUE SAMNITE

Les Italiques, porteurs d'une idée politique tout à fait nouvelle, celle du fédéralisme, eurent le tort de s'affronter à Rome à un moment décisif de leur histoire et d'être vaincus. La bataille de Sentinus en 295 av. J. C. et le triomphe des Romains relégua l'histoire des Osques dans l'oubli. Et comme ce sont les vainqueurs qui écrivent l'histoire, les historiens de l'Antiquité, inévitablement favorables aux Romains, n'ont pas laissé des Samnites

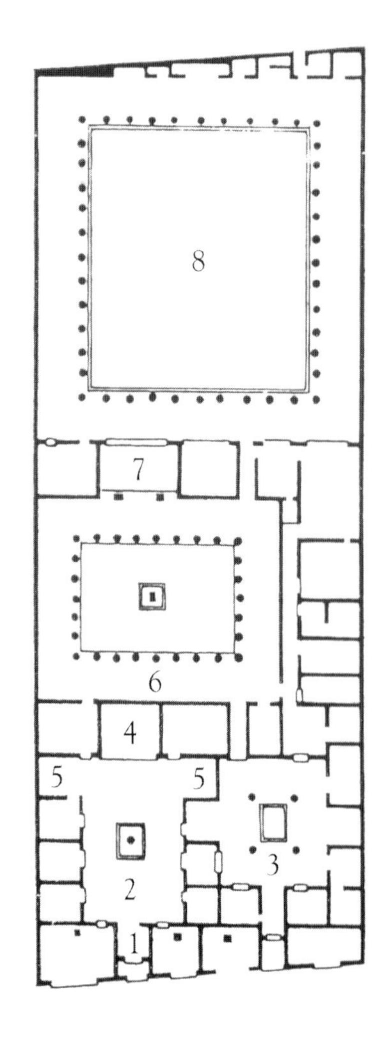

Ci-contre

Plan de la maison du Faune

1 Vestibule
2 Atrium principal
3 Atrium tétrastyle
4 Tablinum
5 Aile
6 Premier péristyle
7 Exèdre
8 Second péristyle

un portrait très flatteur, les présentant comme de rudes guerriers montagnards, aux coutumes tribales. Pas une ligne de leurs écrits, pas un texte d'eux ne nous a été traduit, comme s'il s'agissait d'un peuple inculte. À n'en pas douter, c'est là le fruit de l'attraction à laquelle Rome soumettait les peuples qu'elle avait conquis.

Or, en lisant Cicéron qui rapporte les nobles conversations à Tarente sur les bienfaits de la vieillesse entre le philosophe pytharoricien et mathématicien remarquable Archita, et Gaius Pontius Samnita, représentant de l'aristocratie samnite, tenues devant Platon, grand ami d'Archita, nous avons indirectement un aperçu de la richesse intellectuelle de la société italique du milieu du IVe siècle av. J. C. Il n'est en effet pas pensable – nous en tenant ici davantage à la vraisemblance qu'à la véracité de faits – que tant Platon qu'Archita puissent s'être entretenus de hautes considérations philosophiques avec un homme illettré et qui n'avait pas pleinement assimilé les valeurs culturelles du monde grec. L'aristocratie samnite, à laquelle appartenait Gaius Pontius, se trouvait certainement bien plus à l'aise dans ce type de sujet que dans ceux ayant trait à la réalité de la vie quotidienne.

L'archéologie a apporté les preuves de l'étroite adhésion des Italiques au monde culturel grec. Les trésors funéraires, les tombeaux peints, les vestiges artistiques témoignent d'une société civilement et militairement bien organisée, fortement hellénisée, à l'art de vivre certainement plus raffiné que celui de la société romaine.

Ci-dessous

Reconstitution de la décoration de l'atrium de la maison du Faune

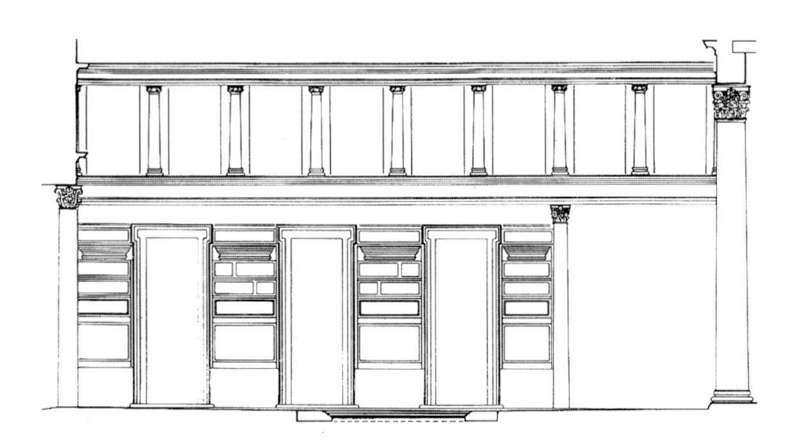

LA MAISON AVEC ATRIUM

Pompéi, par son urbanisme, la conception de la cité, les édifices publics, parle avec éloquence de la mentalité des Samnites qui l'habitèrent, fortement marquée par des modèles venant de Grèce. La ville a conservé de splendides demeures qui attestent l'opulence samnite et donnent aujourd'hui des informations tout à fait précises sur sa propre structure architecturale.

Dans des maisons comme celle dite du Chirurgien (VI, 1, 10)[1] ou celle de Salluste (VI, 2, 4) on peut encore reconnaître, en

1. Les noms donnés à l'époque moderne aux maisons et villas de Pompéi ne se réfèrent que rarement à leurs propriétaires, souvent non identifiés, mais évoquent le plus fréquemment des découvertes propres à ces lieux.

Atrium tétrastyle

IIe s. av. J. C.
Maison des Noces d'argent, Pompéi.

Pavement

Travertin, ardoises et calcaire vert.
Premier style. IIe s. av. J. C.
Tablinum de la maison du Faune,
Pompéi.

La décoration du sol, où alternent des losanges de différentes couleurs créant un effet de cubes en perspective, accentuait la majesté de la pièce où le maître recevait ses *clientes*. Cette décoration, en usage dans les sanctuaires des temples, conférait un certain caractère sacré, dignité et prestige, tant à ces lieux qu'au magistrat qui y accordait ses audiences, assis sur un siège imposant.

Page de droite

Impluvium

IIe s. av. J. C.
Atrium de la maison du Faune, Pompéi.

L'impluvium de l'atrium principal est entouré de bordures moulurées en marbre blanc, dit palombin, et est revêtu de losanges de calcaire colorées aux motifs entrecroisés, typiques de la décoration des sols du premier style. Au centre de l'impluvium a été placée une copie de la statuette de bronze du Faune dansant, chef-d'œuvre de l'art grec, aujourd'hui au Musée de Naples.

Ci-dessous

Pavement

Détail du tablinum de la maison du Faune.

dépit des transformations qui eurent lieu par la suite, la disposition d'origine de la demeure italique du IIIe siècle av. J. C., appartenant à la classe possédante, avec sa sévère façade en blocs cubiques de calcaire ou de tuf et l'entrée, précédée d'un vestibule, qui partage l'espace en deux pièces latérales ouvrant parfois sur la rue et qui peuvent être utilisées comme boutiques tenues par les gens de la maison. Dans le prolongement du vestibule, au centre de la demeure, l'*atrium* forme une cour intérieure sur laquelle donnent plusieurs pièces de séjour et de repos : c'est le cœur de la vie domestique. L'*impluvium*, un bassin peu profond situé au centre de la cour, recueille et déverse dans une citerne située au-dessous les eaux de pluie nécessaires à la vie domestique s'écoulant du *compluvium*, une large ouverture pratiquée dans le toit qui éclaire aussi les diverses pièces. Celles-ci sont rarement munies d'ouvertures vers l'extérieur, si ce n'est quelque étroite meurtrière biseautée pour permettre une meilleure pénétration de la lumière. Dans l'axe du vestibule, du côté opposé de l'atrium, se trouvait le *tablinum*, autrefois chambre du maître où étaient rangées les *tabulae*, c'est-à-dire les archives et documents de famille, dorénavant le bureau où le maître de maison recevait ses *clientes*, les gens qui, à un titre ou à un autre, étaient ses obligés et qui venaient lui rendre visite pour lui offrir leurs services ou pour solliciter son aide et sa protection. De chaque côté du tablinum, deux *alae*, pièces sans porte, complètement ouvertes sur l'atrium, où à l'origine étaient conservées les effigies servant au culte de la divinité et des ancêtres protecteurs de la famille, et devenues par la suite pièces de séjour où l'on recevait les amis. Derrière le tablinum, un petit potager fournissait à la famille les légumes des repas quotidiens.

L'HABITAT CONCENTRÉ

La maison à atrium ne saurait toutefois être considérée comme le modèle d'habitation le plus courant. De récents prélèvements stratigraphiques dans la partie sud-est de la ville, le long de la via di Nocera, ont renforcé une théorie avancée par l'éminent spécialiste Hoffmann. L'étude de quelques maisons situées à faible distance les unes des autres, dans le lotissement 11 de la région I, a permis de démontrer, dès la fin du IIIe siècle av. J. C., ou au plus tard au début du IIe siècle, l'existence d'un type de maison tout à fait différent de la riche demeure à atrium.

Faune dansant

Bronze. Original. IIe s. av. J. C.
Hauteur : 71 cm.
Maison du Faune, Pompéi.
Naples, Museo Archeologico
Nazionale.

Ces bâtiments alignés le long de la rue, tous de même type et à peu près de même volume, sont de dimensions réduites, environ 120 m^2 de superficie couverte, pour une largeur inférieure à 10 mètres. Un corridor d'environ 3 mètres de long, partageant l'espace en deux pièces latérales, débouche non pas sur l'atrium, mais sur une pièce centrale orientée transversalement, d'une largeur de moins de 10 mètres et d'une profondeur ne dépassant pas les 5 m 50. Cette pièce de séjour constitue le cœur de la maison et le lien avec ses diverses parties – d'autres chambres, d'une profondeur de 4 à 5 mètres, étant disposées à l'arrière – reliées par un corridor qui conduit à une petite cour postérieure, vraisemblablement un *hortus*, un jardin d'agrément.

De récentes études ont permis d'identifier d'autres types de maisons assez semblables : ces habitations sont celles d'une classe moyenne, assez homogène, ne jouant pas de rôle social important, mais jouissant d'une petite propriété pour les besoins de la famille. L'ensemble a une allure modeste, tant par les matériaux utilisés que par les techniques de construction de faible coût et d'une réalisation facile et rapide. L'implantation de ces maisons, souvent par séries de blocs, dans une zone périphérique d'urbanisation nouvelle, peut avoir été déterminée par l'afflux dans la cité de nombreuses familles venant des villes voisines à la suite des dévastations causées par l'armée d'Hannibal et de la

destruction de Nocera. Ces bâtiments, auxquels on ajoutera bientôt, lors de la prochaine vague de constructions, un étage supplémentaire, se distinguent par la présence systématique à l'arrière, quelle que soit leur superficie, d'un jardin, complément indispensable de l'espace habité qui, outre sa fonction bien précise dans l'économie familiale, est révélateur du mode de vie et des comportements de tout le corps social.

Frise avec masques

Mosaïque du premier style.
49 x 280 cm.
Maison du Faune, Pompéi.
Naples, Museo Archeologico Nazionale.

L'ATRIUM : ESPACE DE PRESTIGE ET DE REPRÉSENTATION

L'évolution de l'architecture résidentielle dans les milieux privilégiés atteste l'opulence d'une cité qui a su développer d'intenses échanges commerciaux et culturels avec le monde hellénistique et est désormais en mesure d'offrir d'elle-même une image prestigieuse. Les élites, qui en ce IIe siècle av. J. C. se sont considérablement enrichies, ont parfaitement assimilé les modèles de la culture dominante, avec lesquels ils n'hésitent pas à rivaliser.

Tandis que le goût du monumental caractérise l'architecture publique, multipliant colonnades, portiques, édifices grandioses, les notables s'efforcent de parer le cadre de la vie privée d'une certaine empreinte officielle, écho de la vie publique et reflet de leur image sociale. C'est une société solidement contrôlée par

Frise avec masques
Détails.

quelques familles qui, conscientes de leur rôle et de leurs fonctions, expriment, en construisant de somptueuses résidences, parfois aux allures de palais royal, le poids de leur pouvoir, de leur rang hiérarchique. La structure de la demeure se modifie, sans jamais pourtant renier ses origines. Le plan de type traditionnel est conservé, mais il s'amplifie, ses fonctions se multiplient et de nouvelles pièces sont créées. Certains éléments caractéristiques de l'architecture publique, tels que les colonnes et colonnades, sont désormais un ornement indispensable.

On trouve de nombreux exemples de maisons à double atrium, surtout dans la région VI, le quartier résidentiel de l'époque, comme la maison du Faune (VI, 12, 2-5), celle du Labyrinthe (VI, 11, 9-10), de la Grande (VI, 8, 20-22) et de la Petite fontaine (VI, 8, 23-24), de l'Argenterie (VI, 7, 20-21), mais aussi celle du Centenaire (IX, 8, 6). Ces deux atriums juxtaposés ont des fonctions différentes : l'un, exclusivement réservé à la famille, est relié à la partie destinée au service domestique. Le second fait fonction de bureau à ciel ouvert où l'homme d'affaires reçoit sa clientèle, de salle d'audience privée où le magistrat gère les affaires politiques, la justice, les affaires publiques. C'est, comme le dit le célèbre architecte romain Vitruve, un lieu où les gens du peuple peuvent se rendre sans y être convoqués. Certaines pièces de la demeure sont conçues strictement à cet usage, et par leur architecture et leur décor elles renforcent la respectabilité du personnage qui y reçoit clients et concitoyens.

Les maisons construites autour d'un unique atrium ont pour rôle elles aussi d'exalter aux yeux du visiteur le prestige social et personnel du maître de maison. L'espace s'agrandit, quatre colonnes, très hautes et ornées de splendides chapiteaux, sont disposées autour de l'impluvium, comme celles qui, dans la maison des Noces d'argent (V, 2, i), soutiennent les chevrons du toit et du compluvium, avec des effets proprement théâtraux et un faste digne de la cour d'un palais hellénistique. Tel est le cas de l'atrium « corinthien » de la maison des Dioscures (VI, 9, 6), qui ne compte pas moins de douze colonnes soutenant les pentes du toit, ou celle des Diadumènes (IX, 1, 20), qui en compte seize.

On construit également de vastes atriums sans colonnes, selon le modèle toscan, dont la structure portante est faite de poutres en bois, dans l'austère tradition italique, qui révèlent eux aussi la richesse du maître des lieux. La difficulté à se procurer des

poutres d'une grosseur et d'une longueur suffisantes pour soutenir le poids du toit sur une vaste superficie, les connaissances techniques, l'intervention d'une main-d'œuvre hautement spécialisée que requiert la pose font de l'édification d'un atrium de ce type une opération complexe et extrêmement coûteuse, hors de la portée de la plupart des notables pompéiens. Ceux-ci optent pour le simple patio à quatre colonnes, nettement moins dispendieux et à l'élégance discrète. Quel que soit le modèle choisi, tous attestent les soins prodigués pour conférer à l'ensemble noblesse et majesté, et faire l'éloge du rang social des propriétaires. Au-delà de la décoration, étroitement liée à ce besoin de représentation, le prestige de la famille est exalté à travers l'architecture même, tel l'atrium de la maison du Faune qui, selon une reconstruction tout à fait fiable, s'ornait d'un étage supérieur surélevé, rythmé par des colonnes et créant une sorte de loggia.

LA MAISON À LA GRECQUE

L'architecture hellénistique de la maison pompéienne connaît alors d'importantes transformations. L'espace s'agrandit, la partie qui se trouve derrière le tablinum, autrefois occupée par le potager, fait place maintenant à un jardin entouré de colonnes formant des portiques ombragés : le péristyle. L'utilisation massive de la colonne, caractéristique de l'architecture publique grecque,

tant civile que religieuse, met en valeur les volumes, comme dans le *gymnasium* grec, et garantit un certain prestige à l'ensemble. Le péristyle, avec ses colonnes monumentales, devient, au cœur même de l'espace privé, le centre de la vie sociale. Autour des portiques sont disposées des pièces de séjour et de représentation, toutes inspirées du modèle grec : *oeci, exedrae, diaetae, triclinii, bibliothecae*[2], etc.

Le magistrat, qui traite ses affaires et reçoit ses *clientes* dans l'atrium, accueille ses amis dans le péristyle, où il se laisse aller avec eux à de longues conversations, prolongeant la journée en d'agréables dîners tandis que candélabres et flambeaux éloignent les ombres de la nuit. Le jardin, où le parfum des roses et autres plantes ornementales a bientôt fait oublier la forte odeur de chou et de navet de l'ancien potager, apporte maintenant dans la demeure citadine, que les hauts murs et l'absence de fenêtres tiennent à l'abri du monde extérieur, ce goût de nature dont le besoin se fait sentir de plus en plus. Lieu de représentation par excellence, emblème de la *luxuria*, mais aussi espace fonctionnel, le jardin orné de portiques, reliant directement les diverses pièces de réception qui s'ouvrent vers lui, est désormais le point de convergence et le cœur de la vie de la maison.

Vie des animaux sur le Nil

Mosaïque du premier style.
70 x 333 cm.
Maison du Faune, Pompéi.

Cette mosaïque, composée de minuscules tesselles polychromes, décorait le seuil de l'exèdre, délimitée par deux colonnes, du premier péristyle au centre duquel se déploie la mosaïque de la *Bataille d'Alexandre à Issos*.
Serpents, animaux et plantes aquatiques peuplant le Nil et ses rives évoquent la conquête de l'Égypte par Alexandre après la victoire d'Issos.

2. Voir glossaire.

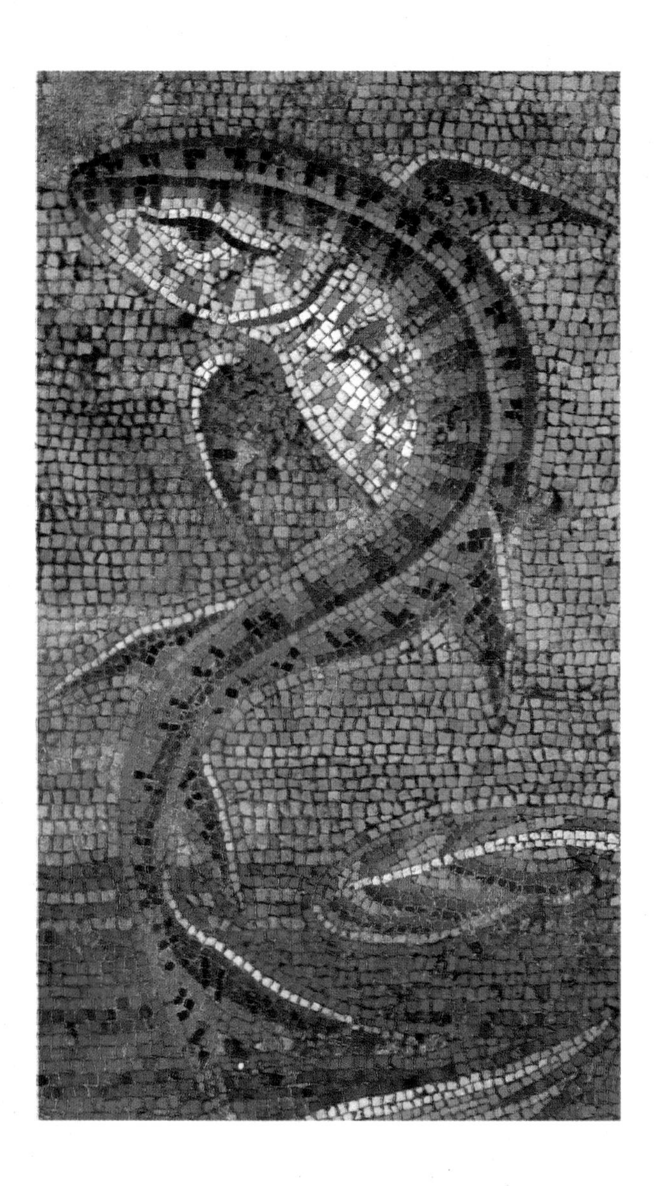

Fond sous-marin
Détails.
Mosaïque du premier style.
Triclinium de la maison du Faune, Pompéi.
Naples, Museo Archeologico Nazionale.

L'INFLUENCE GRECQUE DANS LE PALAIS SAMNITE

La demeure de l'époque samnite tend de plus en plus, par son faste et ses dimensions, à ressembler à un palais. S'il est vrai qu'il n'est de plus grand luxe que de disposer d'une maison spacieuse, Pompéi nous offre une extraordinaire démonstration de la richesse du monde italique à cette période. La maison du Faune, qui, par la suite, s'embellira d'un second péristyle, plus vaste encore, n'a rien à envier à la résidence d'un souverain. Surpassant, avec ses trois mille mètres carrés, le palais de Pergame, elle a pour seuls rivaux le palais des Colonnes de Ptolemaïs en Cyrénaïque (actuelle Libye), résidence du gouverneur égyptien, de 3 300 m^2, et le palais d'un prince macédonien de Pella, de plus de 5 200 m^2. Appartenant à un contexte social et politique tout à fait différent, les demeures qui caractérisent cette période ne peuvent être comparées qu'aux palais dynastiques et hauts lieux de manifestation officielle du pouvoir royal.

LA SCULPTURE DÉCORATIVE

La décoration de ces maisons apporte un précieux témoignage sur les goûts et l'idéologie de cette société de « princes-bourgeois ». La pierre généralement utilisée pour la construction est le tuf gris de Nocera, solide et durable comme le rude calcaire, mais aussi tendre et friable, et donc pas difficile à sculpter. De nombreux tailleurs de pierre vont se spécialiser dans le travail de ce matériau local, acquérant bientôt de hautes qualités artisanales et artistiques et développant une production en série, en particulier de fûts de colonne creusés de cannelures et de chapiteaux, destinés à embellir les habitations privées.

La réalisation des chapiteaux doriques était facilitée par l'emploi du tour qui permettait de produire à échelle « industrielle » et de pratiquer des prix accessibles. Les chapiteaux ioniques, c'est-à-dire à volutes, ou les chapiteaux corinthiens, ornés de feuilles d'acanthe stylisées, nécessitaient une main-d'œuvre expérimentée. L'habileté des tailleurs de pierre fut bientôt réputée, donnant naissance dans la région italique à une tradition artisanale inventive et de qualité, comme en témoignent les deux sphinx aux ailes d'un rendu presque calligraphique, qui à l'origine gardaient probablement l'entrée d'un tombeau et qui

furent ensuite réutilisés pour décorer une villa de la campagne environnante. Les séries de chapiteaux avec figures sont les plus intéressantes. En effet, elles intègrent, comme dans les édifices publics, l'élément figuratif sculpté à la structure architecturale.

LA DÉCORATION PICTURALE : LE PREMIER STYLE

Fond sous-marin

Détail.
Mosaïque du premier style.
Maison VIII, 2, 16, Pompéi.
Naples, Museo Archeologico Nazionale.

La décoration picturale offre des indications précieuses sur le goût et la tendance culturelle de cette caste patricienne samnite : elle s'articule en un « programme » qui reflète l'idéologie du commanditaire.

La peinture murale des maisons pompéiennes, qui s'est sensiblement modifiée au fil du temps, des variations et des aspirations de la société, a été subdivisée par August Mau en un certain nombre de styles, correspondant chacun à une phase de l'histoire de la cité. Le premier style, dit « structurel », domine incontestablement l'époque samnite. Véritable langage international de cette période, commun aux divers artisanats d'art, il est largement diffusé un peu partout à travers le monde hellénisé. Il répond tout d'abord à la nécessité de masquer la paroi – bâtie souvent avec des matériaux pauvres, selon des techniques rudimentaires – par un revêtement en stuc, rehaussé et peint de manière à donner l'impression que ce mur appartient à une structure architecturale dûment pensée, réalisée avec d'imposants blocs de pierre soigneusement taillés. Selon ce principe, il n'est pas rare de trouver des exemples de premier style dans des maisons à la richesse moins tapageuse, ce qui laisse supposer que c'était alors la décoration en vogue dans les demeures des Pompéiens aisés. Mais on assiste ici à un phénomène tout à fait nouveau : la décoration qui, dans un premier temps, sert à créer un véritable système d'architectures, va par la suite élaborer de manière absolument autonome un langage formel original, tendant de l'organicité à l'abstraction ou, mieux, de l'illusion à l'allusion.

Les hommes d'affaires pompéiens qui sillonnaient les mers de l'Orient hellénisé et étaient en contact avec les arts et la culture des sociétés extrêmement développées cherchaient, certes, à s'enrichir grâce à leur commerce, mais aussi à importer de nouveaux modes de vie. Ils parvinrent ainsi à recréer chez eux ces patios entourés de colonnes et ces demeures où l'on discutait

philosophie entre amis et où l'on consacrait de longues heures aux banquets. Capables d'agrandir leurs maisons et de les faire ressembler à celles des souverains des cités qu'ils fréquentaient lors de leurs voyages, ils ne pouvaient toutefois reproduire la splendeur de leurs marbres, pratiquement inexistants en Italie et qu'il était impossible d'importer en quantités suffisantes. Il n'y avait d'ailleurs sur place aucune tradition de travail de ce matériau. On songea donc à l'imiter en donnant au stuc les couleurs de la serpentine, de l'œil-de-perdrix, du cipolin, et de bien d'autres précieuses variétés de marbre, traçant même les veinures et les stries. La couleur et l'effet du marbre s'allient en une composition dense, d'une grande rigueur géométrique, dessinant sur les murs, au-dessus d'un socle sombre, une base constituée de grandes plaques que surmontent des parallélépipèdes disposés à l'horizontale, rangés en assises régulières. Les dessins, se prolongeant au-delà des angles, courent d'une paroi à l'autre et produisent, par leur effet enveloppant, une mise à distance de la réalité qui va être une des caractéristiques des styles pompéiens à venir. Au-dessus de ces blocs, une corniche en stuc blanc, fortement saillante, borde la paroi, parfois très haute, qui s'achève, comme dans la maison de Julius Polybius (I, 13, 3), par un ordre supérieur à fausses loggias scandées de parastates, de demi-colonnes en stuc. Ces éléments, qui accentuent l'aspect majestueux de l'ensemble, soulignant sa verticalité, viennent compléter l'architecture réelle. Dans les deux péristyles de la maison du Faune, par exemple, nous voyons les bandes des parallélépipèdes insérés entre des parastates qui, déployées sur toute la hauteur, créent, en un jeu de correspondance rythmique avec les colonnes du portique, une impression de dilatation de l'espace, annonciatrice de ce goût pour le trompe-l'œil qui triomphera dans le deuxième style.

De même, accompagnant les fleurs et les plantes qui ornent le centre du jardin, la décoration de frise à pampres et sarments semble vouloir prolonger la vie palpitante de cette nature que la maison a réussi à capturer entre ses murs.

Chat attrapant un oiseau

Mosaïque du premier style.
Aile de la maison du Faune, Pompéi.
Naples, Museo Archeologico Nazionale.

LES PAVEMENTS ET LES MOSAÏQUES

La représentation figurée, qu'un plan architectural rigide a bannie des parois, se donne libre cours sur les sols. Au lieu de la terre battue et des pavés de lave, disposés parfois selon des motifs

géométriques et qui garnissent les sols des maisons ordinaires, les nobles demeures s'ornent de ce splendide *opus vermiculatum*, qui fut une des merveilles de la tradition architecturale hellénisante. Les tapis de mosaïques ont de précieux encadrements blancs et noirs et des bordures aux motifs ornementaux riches et variés, et présentent dans leur centre des figures emblématiques polychromes, constituées de tesselles de moins d'un millimètre de côté, d'un bel effet pictural. Parfois des copies de peintures hellénistiques célèbres traduisent dans la pierre les chromatismes extrêmement variés de la palette des peintres.

C'est encore une fois la maison du Faune qui nous donne les exemples les plus intéressants et les plus célèbres. De riches mosaïques ornent les chambres des maîtres de maison et celles réservées à leurs amis, tels le chat s'emparant d'un oiseau, une scène de la vie sur les bords du Nil, *Dionysos chevauchant une panthère* ou encore l'incomparable tableau des profondeurs marines, équilibre raffiné de couleurs aux violents contrastes et à la poésie délicate, qui fait songer à un catalogue des espèces aquatiques les plus connues, accédant au rang de chef-d'œuvre absolu. Presque toute la surface de l'exèdre ouverte sur le premier péristyle qui, avec ses deux colonnes corinthiennes sur la façade, est certainement la pièce la plus prestigieuse de la maison, est occupée par un immense motif de mosaïque d'environ deux millions de tesselles, représentant la victoire d'Alexandre le Grand sur Darius à Issos. Le bronze du *Faune dansant*, d'un si bel effet dans l'impluvium de l'atrium « public », petit chef-d'œuvre de l'art grec, peut avoir été acquis ailleurs, puis ramené à Pompéi ; mais quant à cette extraordinaire mosaïque, d'une taille et d'une complexité peu communes, il est difficilement concevable qu'elle ait pu être réalisée autrement que sur place par des artisans hautement spécialisés venus tout exprès d'Alexandrie ou de Sicile. Nous pouvons ainsi nous faire une idée des dépenses qu'occasionnait une mosaïque de cette ampleur, certainement réalisée d'après une célèbre peinture de l'âge classique, et entrevoir le très haut niveau auquel était parvenue la peinture grecque.

Si le maître des lieux, probablement un membre de la famille samnite des Satrii, pouvait faire valoir dans le cercle étroit de ses amis sa profonde assimilation de la culture grecque, s'affirmant comme citoyen du monde, acteur de la société qui s'était formée à la suite des conquêtes d'Alexandre le Grand, il était et restait

Colombes

Détails.
Mosaïque du deuxième style.
113 x 113 cm.
Maison de la Mosaïque aux colombes, Pompéi.

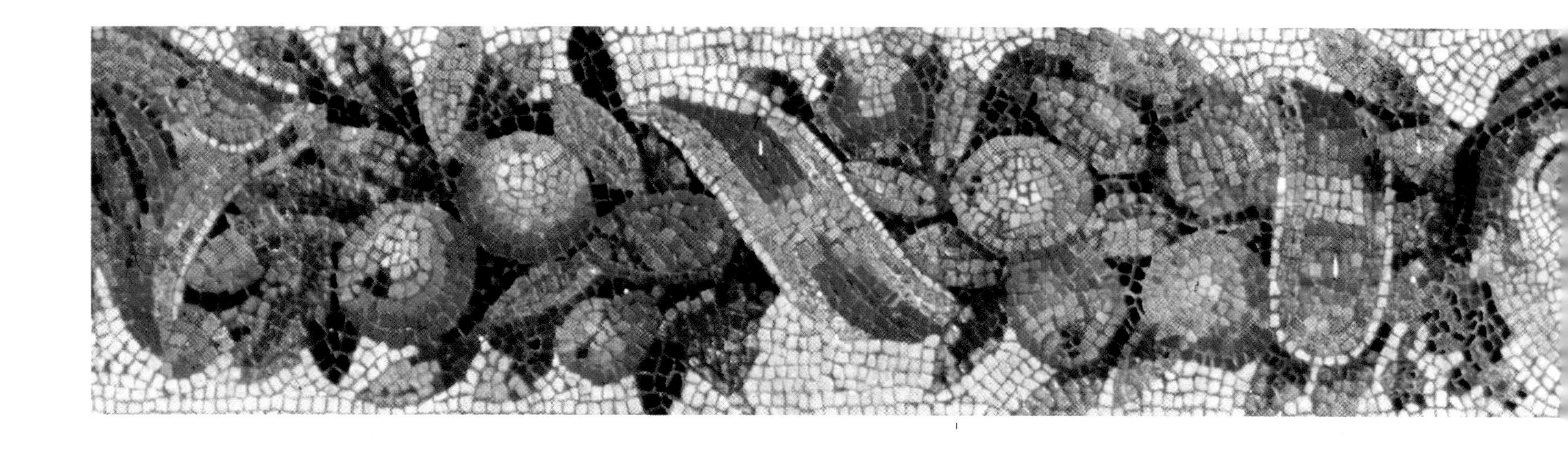

Ci-dessus

Les philosophes de l'Académie
Détail : frise.

Page de droite

Les philosophes de l'Académie
Mosaïque du premier style.
86 x 85 cm.
Villa de T. Siminius Stephanus, Pompéi.
Naples, Museo Archeologico Nazionale.

Cette mosaïque aux minuscules tesselles polychromes représente Platon (au centre) en conversation avec ses disciples de l'Académie. Au fond on aperçoit l'Acropole d'Athènes. La grande richesse chromatique de la composition et la guirlande de fruits et de masques de théâtre qui l'encadre sont caractéristiques du premier style.

vis-à-vis de ses concitoyens essentiellement un magistrat dont le rang devait être rappelé par une décoration du sol différente dans les salles destinées à la réception du public.

Dans le vestibule, l'impluvium et le tablinum, sont réalisés des compositions géométriques créant un effet de perspective, à base de losanges ou de triangles de pierres de différentes couleurs, dites *opus sectile*. Dans le tablinum en particulier, des losanges polychromes de palombin, ardoise et calcaire vert juxtaposés, encadrés de mosaïques à grandes tesselles, évoquent des cubes vus en perspective. Ce type de pavement, dit *scutulatum*, a été également employé à Pompéi pour les *cellae* des temples d'Apollon et de Jupiter. Il n'est donc pas surprenant de le retrouver dans la pièce de sa maison où le magistrat, assis sur son tabouret d'apparat, rendait ses audiences publiques : le caractère sacré de sa fonction était ainsi pleinement identifiable dans un lieu qui pourtant n'y était pas officiellement destiné. Le *luxus*, que fustigeaient les moralistes « bien pensants », devenait ainsi un moyen de mettre l'accent sur la dignité et la gravité du pouvoir et s'en trouvait ainsi socialement légitimé.

Il n'est pas fortuit qu'une maison comme celle du Faune, pourtant d'une conception très répandue à l'époque, ait été retrouvée précisément à Pompéi. La société samnite, qui avait tiré de son alliance avec Rome de solides bénéfices économiques et politiques, s'était alors largement romanisée. Entretenant avec le monde grec et sa culture des échanges beaucoup plus directs et spontanés qu'avec Rome, elle l'influençait à son tour de plus près. Grâce à ces échanges étroits, l'extraordinaire essor de Pompéi au IIe siècle, durant la période samnite, va se poursuivre après l'occupation militaire de Sylla et de ses troupes.

LA NOUVELLE SOCIÉTÉ ROMAINE

Paysage architectural avec villa
Détail.

Avec la conquête coloniale de 80 av. J. C., Pompéi, déjà largement romanisée et dont la langue est devenue le latin, se trouve, de même que les autres cités italiques, rattachée administrativement et politiquement au monde romain. Les colons remplacent au pouvoir les anciennes familles patriciennes locales proscrites par Sylla. Un passage de Cicéron nous informe sur les discriminations qui eurent lieu lors de l'installation de ces nouveaux venus, qui avaient le rang de citoyens romains aux dépens des vieilles familles autochtones. Sur une peinture murale, retrouvée dans le vestibule de la maison du prêtre Amandus (I, 7, 7), représentant des combattants, on peut lire – écrit en osque, la vieille langue de Pompéi – à côté d'un homme à cheval le nom de Spartacus, le gladiateur qui lança depuis les pentes du Vésuve sa célèbre rébellion contre Rome, et dont le combat infructueux et désespéré avait nourri les espoirs de libération de nombreux Pompéiens. Les six mille croix dressées tout au long de la via Appia, de Capoue jusqu'à Rome, sur lesquelles les soldats de son armée subirent le martyre, dissuadèrent quiconque d'espérer encore s'opposer au joug romain.

Rome, qui avait trouvé dans le cercle éclairé des Scipions les médiateurs les plus respectés et les plus sincères ayant su, un siècle auparavant, ouvrir les portes de la vieille société de tradition paysanne à la culture grecque, combien plus raffinée, était devenue, vers la fin de l'ère républicaine, la ville la plus cosmopolite d'un monde qu'elle avait soumis militairement et politiquement dans sa quasi-totalité.

Il était difficile, pour un observateur extérieur, de saisir les signes de la soudaine mutation de la société pompéienne, qu'une naturelle évolution des mœurs, appartenant désormais à une tradition commune, ne suffit pas à expliquer. Comme nous l'avons montré, c'est le contexte, le cadre dans lequel s'opèrent ces changements, qui s'est profondément transformé.

Ainsi voit-on se répandre le phénomène de la prodigalité à but électoral. En 70 av. J. C., C. Quintius Valgus et M. Porcius, fidèles alliés de Sylla, qui dominaient alors la scène politique pompéienne et qui avaient su, en apportant un soutien considérable à sa politique, habilement soigner leurs propres intérêts en Campanie, font construire à leurs frais un amphithéâtre pour les Pompéiens. Quelques années auparavant, ils avaient déjà fait bâtir l'odéon – avec des deniers publics –, et Porcius, s'alliant à d'autres magistrats, avait offert l'autel du temple d'Apollon. Ces actes de libéralité, qui entraient dans le cadre de leur charge, n'étaient certes pas étrangers à la nomination des censeurs par le pouvoir central.

Maison des Gemmes, ou de la Pierre précieuse

Les abords de la villa. Ier s. apr. J. C. Herculanum.

Les deux magistrats établissaient les listes de ceux qui étaient appelés à faire partie du sénat de la ville, et y inscrivaient vraisemblablement les noms des notables favorables à Pompée, alors au sommet du pouvoir politique à Rome, dont ils attendaient en retour des bénéfices. Mais il leur fallait pour cela jouir d'une popularité à toute épreuve auprès des habitants de la cité.

L'arrivée des colons est suivie par l'installation dans la ville, et dans les territoires limitrophes, de nombreux représentants de l'aristocratie romaine, qui trouvent dans les paysages accueillants de Campanie des conditions idéales pour la villégiature, cette « vie de villa » qui leur paraît de plus en plus nécessaire pour alterner le *negotium* – l'agitation de la vie politique de la cité – et l'*otium*, le temps de la réflexion, de la conversation, de la convivialité. Beaucoup des villas bâties aux alentours de Pompéi par l'aristocratie samnite changent de main, se transforment, s'agrandissent, tandis qu'il s'en bâtit chaque jour de nouvelles. Dans la cité même, le long de la ligne des remparts sur le versant sud-ouest, désormais dépourvus de raison d'être, se construisent de nouvelles maisons qui débordent au-delà de l'enceinte et s'ouvrent sur le vaste panorama du golfe de Naples.

Paysage architectural avec villa

Fresque du troisième style.
22 x 53 cm.
Pompéi.
Naples, Museo Archeologico
Nazionale.

UN NOUVEAU MODÈLE DE MAISON

Ces maisons, dont l'architecture rompt avec les normes d'habitation anciennes selon lesquelles atrium, tablinum et péristyle étaient disposés de part et d'autre d'un axe central, aspirent maintenant, par les nouvelles répartitions et fonctions des différentes pièces, au style de « vie de villa », lieu d'agréable séjour. L'atrium, qui s'ouvre sur la cité, garde ses proportions majestueuses pour des raisons d'apparat, mais perd son rôle de centre de la vie familiale. Il s'orne désormais d'une vaste entrée monumentale, tandis que les pièces de séjour et de réception, parfois même les chambres à coucher, regardent vers la mer et la campagne. Des terrasses en gradins – jusqu'à quatre – sont créées pour mieux jouir de la vue panoramique sur le golfe. Les pièces les plus prestigieuses ont des terrasses situées à un niveau inférieur par rapport à l'atrium qui, donnant sur la rue, reste directement au contact de l'agitation de la vie citadine.

La maison à hauts murs, sans fenêtres, tournée tout entière vers l'intérieur et la vie familiale, n'est plus ici qu'un pâle souvenir. La nouvelle architecture ouvre largement ses loggias et terrasses, ses larges baies aux arcades audacieuses sur les merveilles de la nature environnante, toujours à portée du regard et pouvant charmer les sens à tout moment et quelle que soit la partie de la maison où l'on se trouve. Les villas de la région VIII et les maisons de l'*insula occidentalis* témoignent clairement de cet état d'esprit. La propriété de Fabius Rufus (VII, *ins. occ.*, 19), membre d'une des plus anciennes familles romaines, nous en donne une idée précise. Utilisant les remparts de la cité comme soubassement pour mieux s'élever au-dessus du panorama alentour, la maison déploie sur plusieurs niveaux son imposante façade du côté de la mer. Une entrée de service située au bout du jardin et reliée par des escaliers et des rampes d'accès au corps de l'édifice permet d'entrer directement dans la maison en arrivant du port, sans passer par la rue. L'entrée principale, qui donne sur une petite rue proche du forum, se situe au niveau supérieur et s'ouvre sur un atrium fastueux qui n'est pas entouré de pièces d'habitation. Un long mur sans fenêtre borde la ruelle, avec pour seule ouverture une entrée pour les serviteurs qui dessert, par un long couloir parallèle au mur extérieur, les pièces de service. Les salles de réception sont situées à l'est de l'atrium, tandis qu'à l'ar-

Ci-dessus

Villa maritime

Fresque du quatrième style.
25 x 25 cm.
Stabies.
Naples, Museo Archeologico Nazionale.

Pages précédentes

Maison des Cerfs

Ier s. apr. J. C.
Herculanum.

Terrasse et son kiosque donnant sur la mer.

rière, là où autrefois se trouvaient le tablinum et les pièces de séjour, une série de chambres donnent sur une terrasse tournée vers la mer.

Au premier niveau inférieur une suite de chambres, de cellules, de petits appartements contigus est également pourvue de terrasses aménagées en jardins suspendus devant la mer. Le salon principal de la demeure se prolonge par une large exèdre, garnie de sièges pour la conversation. Un autre jardin, plus vaste, au pied de la muraille et à l'extérieur de la ville, offre le spectacle reposant d'une nature verdoyante et fleurie qui va se fondre dans le bleu profond de la Méditerranée.

À Herculanum, sur la terrasse donnant sur la mer au-dessus des remparts de la ville, sont construites alors quelques maisons à l'architecture similaire et dont la plus caractéristique est celle dite des Cerfs. La disposition de la demeure dans l'axe de l'entrée et de l'atrium est devenue secondaire, privilégiant l'orientation en direction de la mer. Un corridor relie l'atrium à la partie où s'activent les serviteurs, tandis qu'à la place du tablinum, un grand *triclinium*, orienté selon l'axe longitudinal de la demeure et non plus selon celui de l'entrée, inaugure la période des grandes pièces d'apparat. Sur ce même axe sont en effet disposés d'abord un immense jardin entouré d'une série de portiques couverts, puis un salon fastueux doté d'une loggia panoramique. Cette *diaeta* s'agrémente d'espaces verdoyants de part et d'autre d'une grande pergola au centre de la loggia, d'où le visiteur peut contempler le paysage.

La nature, qui s'était timidement introduite dans la demeure par le jardin à colonnades, celui-ci semblant l'encadrer et l'enclore entre les murs du foyer, prend avec la nouvelle architecture une belle revanche, comme si elle voulait à son tour envelopper et absorber la maison dans son splendide panorama.

LA VILLA

C'est l'apparition des villas *extra muros* qui va faire triompher dans l'architecture domestique les plaisirs du paysage. Les exemples sont nombreux de ces « villas maritimes » disséminées aux alentours de Pompéi, sur la colline de Varano, à Stabies ou à Oplontis, où Poppea Sabina, la femme de Néron, possédait une des demeures les plus représentatives du genre, et comme à

Herculanum, où l'extraordinaire villa des Papyrus s'étend sur plus de deux cent cinquante mètres au-dessus du littoral. Toutes ont pour principale raison d'être le désir d'embrasser du regard l'exceptionnel panorama du golfe de Naples. Mais nous nous arrêterons surtout sur les villas qui par centaines émaillaient la plaine fertile et les pentes au pied du Vésuve au milieu de vignes, de vergers et de champs.

Dans ces résidences campagnardes, la partie destinée à la production agricole assurée par les esclaves est en contact étroit et harmonieux avec celle que les maîtres réservent à l'*otium*. D'un luxe volontiers tapageur, ces villas s'ornent de *diaetae*, de portiques qui n'emprisonnent pas le jardin mais s'ouvrent directement sur les champs et les vastes paysages, de cryptoportiques, vastes déambulatoires creusés dans le sol où il fait bon se rafraîchir aux heures trop chaudes de l'été, d'exèdres et de pièces de dimensions diverses où l'on se tient tour à tour en fonction des variations de températures au fil de la journée et selon les saisons.

L'ÉVOLUTION DE LA MAISON URBAINE

La maison citadine des riches Pompéiens reflète le nouvel idéal du citoyen romain. S'éloignant du modèle du palais hellénisant, elle s'inspire, certes à une échelle plus modeste, de l'architecture des villas. Chaque fois qu'il est possible, on agrandit les pièces d'habitation au détriment des maisons mitoyennes, soit en entreprenant d'importants travaux de restructuration pour les englober dans le corps principal, soit simplement en les juxtaposant comme des quartiers séparés. C'est la solution choisie dans la maison du Navire Europe (I, 15, 1-3), celle de Ménandre (I, 10, 4), des Amours dorés (VI, 16, 7), d'Ariane (VII, 4, 31-51) ou du Cryptoportique (I, 6, 2). Un exemple de ces demeures nous est fourni par la maison du Cithariste (I, 4, 5, 25-28), qui, par adjonctions successives de divers bâtiments, finit par s'étendre sur près de 2 300 m^2 comprenant deux atriums et trois péristyles.

Ailleurs, des étages destinés aux serviteurs sont construits au-dessus des pièces entourant l'atrium, comme dans la maison des Noces d'argent (V, 2, i). On y installe aussi les nouvelles commodités typiques des villas : beaucoup de maisons patriciennes,

Ci-dessus

Niche de laraire

Ier s. apr. J. C.
Pompéi.

Page de gauche

Murs

En haut

Opus quasi reticulatum, c'est-à-dire « en appareil quasi réticulé », d'une réalisation plus grossière.
Début du Ier s. av. J. C. Pompéi.

Au centre

Opus latericium, mur de briques, ici avec un motif à disque.
Ier s. apr. J. C. Pompéi.

En bas

Opus reticulatum, « en appareil réticulé », c'est-à-dire avec des briquettes de tufs à face externe polygonale, scellées dans le ciment et disposées de manière assez régulière, formant des rangées.
Fin du Ier s. av. J. C. Pompéi.

comme celles de Ménandre ou du Cryptoportique, se dotent d'installations thermales qui permettent de se détendre en toute intimité loin de la foule et de l'agitation des bains publics, toujours surpeuplés malgré la construction des nouveaux thermes du forum.

LA DÉCORATION PICTURALE ET LES MOSAÏQUES : LE DEUXIÈME STYLE

Page de droite

Allégorie de la mort

Mosaïque du deuxième style.
47 x 41 cm.
Triclinium de l'atelier I, 5, 2, Pompéi.
Naples, Museo Archeologico Nazionale.

Ci-dessous

Moulage en plâtre d'une victime de l'éruption du Vésuve

Pompéi.

Sur les corps des victimes se déposa une pluie de cendres leur collant à la peau, moulant chacun de leurs traits. Refroidies et durcies, les cendres constituèrent une masse compacte qui garda à l'intérieur les empreintes de ces corps. Celles-ci, suivant le processus normal de décomposition des matières organiques, ne laissèrent dans la couche de cinérite que des cavités. En injectant du plâtre dans ces cavités, on obtient le moulage de ces corps.

La peinture murale traduit maintenant en images l'atmosphère raffinée de la villa, un style de vie devenu à Rome plus qu'une mode : une véritable passion. L'aristocratie romaine apporte alors à Pompéi un nouveau style pictural, caractéristique de cette période, comme la construction « en appareil quasi réticulé », c'est-à-dire avec des briquettes de tuf à face externe polygonale, scellées dans le ciment et disposées de manière assez régulière, formant des rangées.

Le deuxième style, qui plonge ses racines dans l'Orient hellénisé, développe dans le monde romain les tendances qu'annonçait l'architecture du premier style. Avec, cette fois, pour seul auxiliaire la peinture, il figure sur les murs colonnes, portiques, édicules, créant l'illusion d'un prolongement de l'espace sur la paroi, qui tend à disparaître, dissimulée par de fausses perspectives architecturales et par des décors animés de personnages, d'animaux, de tableaux, d'objets symboliques. Parfois sont ainsi recréés de petits théâtres, avec des acteurs grandeur nature interprétant des mystères sacrés, ou des scènes qui apparaissent à l'observateur moderne, si blasé et profane qu'il puisse être, comme les allégories de la vie même. Cette peinture si appréciée par Vitruve, comme « image de ce qui est ou de ce qui peut être », offre des exemples à la richesse picturale et iconographique incomparable dans les immenses cycles picturaux de la villa de Fannius Sinistor à Boscoreale et dans le salon de la villa des Mystères, ou encore dans les décorations de celle d'Oplontis.

Devenus de fait et de droit citoyens romains, les Pompéiens, impatients de s'approprier la culture et l'idéologie de la capitale du monde, s'inspirent des nouveaux modèles artistiques apportés par l'aristocratie romaine et cosmopolite qui a fait de ces campagnes ses lieux de villégiature de prédilection. On tente d'utiliser le procédé du « trompe-l'œil réaliste » avec architectures

Matrone assise

Fresque du deuxième style.
170 x 96 cm.
Villa des Mystères, Pompéi.

Cette œuvre, la plus célèbre de toute la peinture romaine, date du Ier s. av. J. C. Elle représente la célébration d'un mystère dionysiaque. La femme assise pourrait être une riche maîtresse de maison ou la prêtresse de Bacchus. Le fameux « rouge pompéien » était obtenu grâce au précieux minium, le sulfate d'alun.

peintes, estrades, plinthes, colonnades, pour donner plus d'ampleur à la pièce. Maintenant le mur, qui tendait à s'effacer en présence d'éléments d'architecture qui devaient paraître réels, laisse voir par des interstices laissés libres entre les divers panneaux qui composent le premier plan de la paroi, des enfilades de colonnes, des rideaux de bâtiments, des perspectives qui vont se perdre dans le lointain. Dans la fiction picturale, la salle peinte s'ouvre au monde extérieur qui maintenant pénètre dans la maison, offrant à la contemplation, comme depuis les fenêtres des villas, ces vastes panoramas où s'écoule, serein, atténué, inoffensif, le spectacle de la vie.

L'élément figuratif qui se déploie sur le mur, que ce soit par des tableaux paysagers qui apparaissent derrière de fausses portes ou par des animaux et des objets qui, avec des intentions probablement allégoriques, sont intégrés aux compositions architecturales, incite le nouveau style à délaisser le motif central à figures de la décoration du sol, au profit de compositions géométriques, parfois polychromes, à fines tresses, entrelacs, effets de vannerie, cubes en perspective, recherchant là aussi un effet à trois dimensions.

LES SALONS À COLONNES

En même temps, l'espace réel prend un aspect de plus en plus majestueux. Dans cette société où tous se livrent une compétition acharnée, le luxe devient une nécessité sociale. Les salons des demeures patriciennes, comme celle du Labyrinthe, celle des Noces d'argent, celle de Méléagre (VI, 9,2), sont envahis par une véritable forêt de colonnes, cette fois bien réelles, combinant leurs effets de perspective avec celles des architectures en trompe-l'œil. Ces *oeci,* salons de réception, se donnent alors un caractère officiel, et tout y est mis en œuvre pour inspirer le respect des valeurs civiques et revêtir ces lieux de réunion d'un caractère quasi sacré, à l'image des basiliques, la plus haute expression de l'architecture civile dans le monde romain. À l'intérieur même de la maison est évoquée la vie publique du propriétaire, qui, à l'exemple des dynasties grecques, s'efforce d'offrir de lui l'image d'un citoyen à la culture raffinée, mais n'oublie jamais les obligations lourdes et onéreuses que lui imposent les fonctions assumées dans le cadre de la communauté.

LA SCULPTURE EN TUF

Dans le domaine de la sculpture en tuf, la vieille tradition locale d'origine grecque continue à inspirer la nouvelle génération de tailleurs de pierre. Ils réalisent à l'odéon, c'est-à-dire au Petit Théâtre, les admirables télamons agenouillés placés aux extrémités inférieures des murs qui entourent la *cavea* et les deux étonnantes pattes ailées d'animaux sauvages, à l'effet graphique très marqué, sculptées à chaque bout de la balustrade qui séparait la *proedria* de la *cavea*. Ici encore, la sculpture est un complément de l'architecture, comme ces puissants télamons en terre cuite qui, les bras levés et repliés au-dessus de la tête, soutiennent l'architrave de la voûte du tepidarium des thermes du forum, et qui en même temps encadrent une série de niches placées le long de parois, créant un bel effet de clair-obscur.

LA CULTURE LITTÉRAIRE

Au cours de cette période coloniale, Pompéi parvient à s'intégrer totalement au monde romain. Les deux cités demeurent si étroitement liées culturellement et idéologiquement que les connaissances qu'apporteront au fil des siècles les fouilles archéologiques et les sources littéraires s'éclaireront réciproquement. Beaucoup de ce que nous savons des manifestations de la vie, de l'art, de la pensée de Rome est indissolublement lié à la redécouverte de Pompéi à l'époque moderne.

Ainsi, on a retrouvé sur les murs de la cité, et précisément sur celui de l'odéon, les graffitis en vers d'un poète qui a même laissé son nom, Tiburtinus. Ces vers latins, transcrits de manière fragmentaire et appartenant peut-être à une unique composition, bien qu'ils n'aient pas été effleurés par l'aile du génie poétique, sont à nos yeux d'une grande importance. Ils s'inscrivent dans la lignée de la poésie hellénistique, en particulier d'Alexandrie, dont ils empruntent la trame poétique, les motifs lyriques et les modèles littéraires. Tiburtinus se lance, avec les moyens limités de l'amateur, dans une recherche poétique qui à Rome conduira les *neoteroi*, « nouveaux poètes », vers la grande redécouverte de la lyrique grecque et donnera naissance aux sublimes poèmes de Catulle.

Tiburtinus a laissé sur le mur de Pompéi un « chant désespéré » :

« *Que s'est-il passé? Après que, de force, ô mes yeux,*
vous m'avez entraîné dans le feu,
vos joues sont maintenant sillonnées de ruisseaux.
Mais les larmes ne parviennent pas à éteindre la flamme.
Elles se répandent sur votre visage et l'esprit s'obscurcit. »

« *Si tu connais le pouvoir de l'amour,*
si un cœur humain bat dans ta poitrine,
aie pitié de moi, laisse-moi arriver jusqu'à toi. »

« Cesia...
mange, bois, amuse-toi...
pas toujours... »

Écho d'un amour malheureux, ces vers implorants semblent déjà savoir qu'ils sont sans espoir. Au moment même où ils invitent à jouir des bonnes choses de la vie, ils s'abîment dans l'indicible mélancolie que suscite la conscience de l'éphémère, les projetant sur ce mur épargné par le temps.

Personnification de la Perse et de la Macédoine

Détails.
Fresque du deuxième style.
200 x 325 cm.
Villa de Fannius Sinistor, Boscoreale.
Naples, Museo Archeologico Nazionale.

La signification de ce chef-d'œuvre de la peinture pompéienne reste incertaine. On a voulu reconnaître dans les deux femmes la personnification de la Macédoine (détail à gauche) en armes après sa victoire sur la Perse, qui est assise, pensive, en face d'elle. Selon d'autres sources, cette fresque représenterait Antigone Gonathas, roi de Macédoine, face à sa mère Philas.

L'ÂGE D'OR DE LA PREMIÈRE ÉPOQUE IMPÉRIALE

Tête du doryphore

Bronze. Copie signée de Apollonios d'Athènes, d'après l'original grec de Polyclète. Époque d'Auguste.
Hauteur 54 cm.
Villa des Papyrus, Herculanum.
Naples, Museo Archeologico Nazionale.

Page de gauche

Coureur

Bronze. Copie romaine d'après un original grec du IVe s. av. J. C.
Entre le Ier s. av. J. C. et le Ier s. apr. J. C.
Hauteur 118 cm.
Villa des Papyrus, Herculanum.
Naples, Museo Archeologico Nazionale.

Après les temps troubles des guerres civiles, ayant pendant trop d'années opposé les légions romaines à d'autres légions romaines qui n'en finissaient pas de se harceler et de s'affronter sur un échiquier vaste comme le monde entier, les portes du temple de Janus sur le Forum de Rome pouvaient enfin symboliquement se refermer. Avec l'avènement de l'Empire, une nouvelle ère de paix allait enfin s'ouvrir. Les haines farouches, qui au sein d'une même famille avaient lancé les partisans de César contre ceux de Pompée, s'étaient éteintes, les temps du complot et de l'attentat étaient un lointain souvenir : après la bataille d'Azio en 31 av. J. C. et la défaite d'Antoine, le triomphe d'Octavien était incontestable. Le monde lui appartenait et le sénat romain, pressé de le remettre en ses mains, le supplia d'accepter. Tous étaient épuisés ; il était urgent, pour le salut commun, de mettre fin au plus tôt à ce climat de luttes intestines. Octavien, devenu Auguste, était le seul capable d'asseoir solidement les nombreuses conquêtes des toutes-puissantes armées romaines. Une paix durable permettrait enfin au pays de connaître une nouvelle ère de prospérité.

Le retour à un mythique âge d'or, où, comme le proclamait la propagande impériale, il y aurait à nouveau de la place pour tous, permettait à chacun de se consacrer enfin à l'édification d'un monde meilleur, en entreprenant des travaux publics de grande envergure. Les cités le plus étroitement liées à la vie de Rome furent les premières à bénéficier de l'aisance qu'apportèrent dans toute la péninsule les premières années de l'Empire.

Comme on le sait, la propagande impériale se diffusait aussi par la voix des poètes de cour, et il est fort intéressant de constater combien leur célébrité était grande à Pompéi. Ce phénomène se mesure aisément sur les murs, au nombre de graffitis reprenant leurs vers. Virgile, en particulier, fut souvent transcrit, parfois parodié : on enseignait vraisemblablement les œuvres du poète dans les écoles afin de le faire connaître le plus largement possible aux jeunes générations.

Ci-dessus

Fontaine privée

Tesselles polychromes. Ier s. apr. J. C.
Maison de la Petite fontaine, Pompéi.

La fontaine, dont la forme évoque la grotte, est adossée au mur du fond du jardin qui est orné de peintures murales du quatrième style, aux paysages grandioses.
La fontaine est en outre décorée de coquillages. Deux statuettes de bronze représentant un amour et un pêcheur sont posées sur le sol. Les originaux se trouvent au Musée de Naples.

Page de droite

Enfants avec oie et grappes de raisin

Bronze. Ier s. apr. J. C.
Maison des Vettii, Pompéi.

LES NOUVELLES COMPOSANTES SOCIALES

À cette époque, on assista également à un phénomène massif et croissant d'émigration des villes lointaines vers la capitale de l'Empire. Les nouveaux venus étaient mus par des espérances de fortune, de commerce, des raisons culturelles et matérielles. La société romaine, qui déjà comportait de nombreux esclaves, acquis sur les marchés orientaux ou ramenés comme butin de guerre, devint alors la mosaïque la plus variée et la plus cosmopolite de l'histoire humaine.

Pompéi – idéalement située dans ce golfe de Naples où la cour impériale et l'aristocratie romaine venaient en villégiature dans des villas fabuleuses disséminées tout au long de la côte entre Capri, le *Promontorium Minervae* (aujourd'hui Punta Campanella, près de Sorrente) et Baia – était, grâce à son port, au centre de ces échanges et de ces fluctuations de populations. Jusqu'à la création du port d'Ostia, Pozzuoli était la principale escale pour les marchandises destinées à Rome. Comme le rappelle Strabon, le géographe de langue grecque qui écrivait à l'époque d'Auguste, la position du port de Pompéi, au centre du golfe et face à la plaine, et la possibilité de desservir un arrière-pays extrêmement riche, telles les florissantes cités de Nola, Nocera et Acerra, en faisaient la tête de pont des échanges entre la Campanie et le monde oriental, en premier lieu l'Égypte et Alexandrie.

Les relations entre Pompéi et Alexandrie étaient très intenses depuis l'époque samnite, comme l'attestent, dès la fin du IIe siècle, la construction à côté du Grand Théâtre d'un temple consacré à Isis, où était conservée l'eau lustrale du Nil, et l'implantation au pied du Vésuve, dès cette même époque, d'une communauté

alexandrine. Avec la conquête de l'Égypte par Auguste, les relations prirent une importance nouvelle. D'Alexandrie provenaient non seulement des œuvres d'art et des parfums, mais aussi les réserves de blé dont l'empire avait tant besoin. On peut imaginer que ces échanges constants et très organisés eurent lieu dans cette cité portuaire florissante où les navires faisaient escale et où les négociants tenaient leurs comptoirs.

Les étrangers, pour la plupart de langue grecque, qui venaient de plus en plus nombreux à Pompéi, modifièrent et élargirent notablement le tissu social et les activités économiques de la ville à l'époque impériale. Il suffit de regarder les noms des personnes dont la résidence à Pompéi est attestée, ou les nombreux graffitis en langue grecque ou avec des expressions grecques, pour se faire une idée de l'importante proportion d'habitants originaires du monde hellénistique.

Aux vieilles familles samnites, qui avaient fondé leur fortune sur de grands domaines agricoles plus que sur le commerce, viennent maintenant s'ajouter de nouveaux détenteurs du pouvoir économique, dont de nombreux affranchis, qui se sont enrichis en faisant du commerce ou en déployant une intense activité dans la construction publique et privée et dans l'« industrie ».

L'HABITAT DE LA CLASSE MOYENNE

Des sources abondantes et incontestables permettent de se faire une idée assez précise des habitations et du mode de vie de la population laborieuse à partir de l'époque de l'Empire. Quant à l'archéologie, elle est ici de peu de secours, car les maisons où logeaient les Pompéiens des couches les plus modestes dans les périodes précédentes, subirent – précisément parce qu'il s'agissait de constructions très simples – d'importantes et continuelles transformations, qui ont rendu hasardeuse toute tentative d'en retrouver les traces dans les vestiges conservés par l'éruption.

La classe moyenne, aux ressources limitées mais soucieuse de sa respectabilité, ne renonçait pas à posséder une maison dotée d'un atrium, même de très petites dimensions, comme celle d'Amandio (I, 7, 3), qui sur une superficie d'à peine 127 m^2 parvient tout de même à donner l'illusion d'un véritable jardin. Parmi les maisons de 120 à 150 m^2, dix s'ornent d'un atrium ; ce nombre passe à vingt-neuf pour ce qui concerne les habitations

Page de gauche

Décoration de l'atrium

Ier s. apr. J. C.
Maison d'Obellius Firmus, Pompéi.

Mobilier de jardin en marbre. Près de l'impluvium on remarque une table et un *cartibulum*, table à base cylindrique, sur lequel était posée la statue-fontaine d'un satyre.

Pages suivantes

Jardin et péristyle

Ier s. apr. J. C.
Maison des Vettii, Pompéi.

Les éléments de décoration du jardin en marbre et en bronze trouvés dans cette demeure forment un ensemble très représentatif de goûts pompéiens. Vasques, statues, fontaines et tables sont disposées sur les massifs et le long du portique qu'égayent les jeux d'eau, pour le plus grand plaisir des yeux.

Hermès au repos

Bronze. Réplique romaine
d'un original grec de Lysippe.
Entre le Ier s. av. J. C. et le Ier s. apr. J. C.
Hauteur : 115 cm.
Grand péristyle de la villa des Papyrus,
Herculanum.
Naples, Museo Archeologico
Nazionale.

à étage d'une taille similaire, mais construites selon un plan de distribution de l'espace très différent, et à quatre-vingt-trois si l'on prend en compte celles qui ont de 50 à 150 m^2.

Ces maisons sont l'apanage de gens qui, étant donné leur fonction sociale, n'ont pas besoin de pièces d'apparat et peuvent aménager l'espace comme bon leur semble, parfois à l'intérieur d'un bloc d'habitations, derrière celles dont la façade donne sur la rue. Elles ont un plan très irrégulier, les pièces s'ouvrent sur le long corridor de dégagement, les cours servent comme puits de lumière et d'air. Réparti autour d'un jardin central, l'espace habitable est utilisé en fonction des besoins et selon le bon plaisir des occupants, sans souci du conformisme social.

Toutefois, il ne faut pas croire que les maisons sans atrium étaient toutes de dimensions modestes. Beaucoup d'entre elles étaient de taille importante, comparable à celle de nombreuses maisons à atrium, et quelques-unes s'étendaient sur 600, voire 800 m^2. Sans compter celles qui se prolongeaient à l'arrière par des champs cultivés, dépassant facilement 1 000 à 1 500 m^2, et pouvant même atteindre 2 500 m^2.

Les grandes dimensions de la demeure laissent deviner la prospérité économique des propriétaires, mais ne sont plus étroitement liées à leurs besoins de représentation. Sans toutefois se risquer à établir des équivalences quasi automatiques, sûrement impropres, entre le type et la surface de la maison et l'origine sociale de son maître, on peut affirmer que ce phénomène résulte de l'assimilation par la société pompéienne de nouveaux venus durant toute la première période impériale. Ces étrangers ou affranchis, aux ambitions sociales encore modestes, vont se fondre dans le petit peuple des artisans, des paysans, des petits commerçants.

D'autres habitations – selon un processus amorcé à l'époque républicaine et qui va prendre une importance croissante sous l'Empire, jusqu'aux derniers temps de la vie de la cité – sont bâties en hauteur, c'est-à-dire gagnent un étage. Cet étage supplémentaire était créé souvent à l'intérieur même de la maison – avec ou sans atrium – pour faire face aux besoins de la *familia*, mais il pouvait également être aménagé en un ou plusieurs *cenacula*, petits appartements indépendants qu'un escalier mettait en communication directe avec la rue ou avec une cour intérieure. Ce type de logement, très courant dans le centre ville, qui comportait deux ou trois pièces, disposées à la suite les unes des

Pseudo-Sénèque

Buste en bronze. Copie romaine d'après un original hellénistique. Entre le IIe et le Ier s. av J. C.
Hauteur : 33 cm.
Grand péristyle de la villa des Papyrus, Herculanum.
Naples, Museo Archeologico Nazionale.

La tradition a attribué à ce buste d'inconnu les traits du philosophe latin.

Les danseuses

Bronze. Milieu du Ier s. av. J. C.
Hauteur : 153, 155, 151, 150 et 146 cm.
Villa des Papyrus, Herculanum.
Naples, Museo Archeologico
Nazionale.

Le groupe de cinq jeunes femmes disposées au bord de l'*euripe*, canal traversant le jardin, passe pour représenter des « danseuses ». Il s'agit plus probablement d'*hydrophoraï*, les porteuses d'eau. Ces bronzes sont une interprétation locale des modèles grecs de l'époque classique.

autres et reliées par des coursives ou des balcons, le plus souvent en bois, assurait des conditions de vie confortables à ses habitants, généralement des locataires. Bien qu'elles fussent très nombreuses, rares sont les maisons de ce type qui ont pu être intégralement conservées, les toits et les planchers ayant cédé sous le poids des pierres volcaniques et des lapilli. Les plus luxueux de ces bâtiments en ruine laissent souvent voir les traces des encoches pratiquées dans la paroi pour les lits, des peintures murales décoratives, des pièces de dimensions convenables, une bonne luminosité, dénotant une volonté de leur propriétaire de donner à ces appartements les apparences du « bon ton ». On a d'ailleurs retrouvé une petite annonce proposant à la location des *cenacula* situés dans l'*insula Arriana Polliana*, où se trouve la maison de Pansa (VI, 6, 1), une des plus grandes *domus* de l'époque samnite. Les logements y sont qualifiés d'*equestria*, c'est-à-dire dignes d'un chevalier. Si le bon sens suggère d'ordinaire de ne pas accorder foi aux discours des bonimenteurs, et les éléments faisant défaut pour juger du bien-fondé de cette annonce, elle indique cependant clairement la réputation de confort qui s'attachait à ce type d'habitat.

Dans un autre registre, la *pergula* est une soupente, une mezzanine, généralement en bois, située au-dessus d'une boutique, d'une *taberna*, à laquelle elle est reliée par un petit escalier intérieur ; le commerçant, sa journée finie, s'y retirait pour la nuit. Ces pièces minuscules – quelques mètres carrés – permettaient aux moins argentés, c'est-à-dire à de très nombreux habitants, d'avoir un endroit à eux, même très petit, à la fois habitation et lieu de travail. La *taberna*, qui durant le jour s'ouvrait toute grande sur la rue pour mieux exposer les produits à vendre, était fermée le soir par une série de planches que l'on insérait et faisait coulisser dans des rails creusés dans le seuil et dans l'architrave formant une palissade. Une petite porte y était pratiquée permettant d'entrer et de sortir de la pièce. Ainsi la boutique se transformait instantanément en logement et la soupente pouvait accueillir sur un matelas ou une natte le commis fatigué pour un sommeil réparateur.

En l'absence d'un foyer où cuire les aliments, les Pompéiens pouvaient se nourrir dans les nombreuses *thermopolia*, *cauponae* ou à la table d'un de ces « nouveaux riches » qui, avides d'exhiber leur aisance nouvelle, s'entouraient d'un essaim de pique-

Villa des Papyrus

La villa des Papyrus, située sur le littoral, non loin d'Herculanum, est un parfait exemple de la villa de plaisance de l'aristocratie romaine à la fin de l'époque républicaine. Dotée d'une très riche bibliothèque d'œuvres philosophiques, surtout d'inspiration épicurienne, elle abritait aussi, dans les pièces d'apparat et le long de ses deux péristyles, une collection de statues, dont 58 en bronze et 21 en marbre, qui illustrent bien les goûts des milieux cultivés romains de l'époque.

assiette. Il était très facile de se faire inviter pour un repas chaud. Deux graffitis retrouvés dans la basilique donnent une idée de l'ampleur de cette chasse à l'invitation qui, outre le plaisir de dîner en compagnie, était pour beaucoup un système de survie quotidienne. « Santé à qui m'invitera à déjeuner », proclame le premier, tandis que le second, s'adressant directement à un amphitryon qui n'avait pas tenu ses promesses, lance : « Quel cuistre est donc ce Lucius Istacidius qui ne m'invite pas à dîner ! »

Il existait encore, pour les artisans et les petits commerçants, un autre type de logement combinant le lieu de travail et l'habitation. De dimensions moins réduites que la *pergula* et un peu plus confortable, la maison-boutique convenait davantage à la vie familiale. Là aussi, la façade était largement ouverte sur la rue, mais au magasin s'ajoutait une arrière-boutique formée d'une ou plusieurs pièces, avec parfois une cour intérieure pour l'aération et la lumière, et souvent même un premier étage. Situées surtout dans le centre ville et le long des rues les plus passantes, ces habitations à double fonction étaient sûrement déjà en usage à l'époque samnite, bien que, comme nous l'avons dit, aucune des maisons conservées ne remonte à cette lointaine époque.

On trouve souvent réunis dans un même bloc d'habitations presque tous les types d'habitat décrits ici. Ainsi l'on voit d'imposantes demeures à atrium jouxtant des pergulae, des maisons-boutiques, des *cenacula*, mêlant au sein d'un même quartier diverses couches sociales et différents niveaux de vie.

Page de droite

Vase bleu

Verre gravé selon la technique du verre-camée. Ier s. apr. J. C.
Hauteur : 32 cm.
Tombe de la via dei Sepolcri, Pompéi.
Naples, Museo Archeologico Nazionale.

Ci-dessous

Brasero avec masques comiques

Bronze. Ier s. apr. J. C.
Hauteur : 25 cm, longueur : 61,5 cm et largeur : 38 cm.
Herculanum.
Naples, Museo Archeologico Nazionale.

LE DÉVELOPPEMENT DE LA MAISON PATRICIENNE ET LE JARDIN

Outre l'usage ornemental du marbre, maintenant extrait des carrières de Luni, qui parvient à profusion en Campanie et finit par revêtir tous les impluviums de Pompéi, l'évolution la plus remarquable de cette période dans les demeures des classes supérieures avec atrium et péristyle se traduit par la possibilité de disposer de l'eau courante que l'aqueduc de Serino achemine jusqu'à Pompéi. Les rues sont maintenant jalonnées de fontaines publiques qui pourvoient aux besoins de ceux des habitants dont les maisons ne sont pas équipées de citernes pour l'eau de pluie. Les maisons à atrium dont les propriétaires prennent à leur charge les frais de raccordement sont reliées à l'aqueduc.

L'irrigation est ainsi facilitée et l'on assiste à de véritables compétitions dans l'embellissement des jardins. Dans celui de Julius Polybius, on a retrouvé les racines de quatre gros arbres fruitiers, élément de base de la composition des plus anciens jardins, qui paraissent y avoir été conservés comme un signe d'élégance, pour évoquer l'ancienneté de ces lieux et de la famille. La vogue est alors à l'installation des pelouses, des plantes et de la succession des floraisons de la manière la plus harmonieuse possible.

FONTAINES ET NYMPHÉES

L'eau courante arrive à point nommé dans les demeures pompéiennes qui s'efforcent d'imiter, autant que c'est possible dans un espace urbain, le luxe et le confort des villas des alentours. Les empereurs et les nobles séjournent en été dans des nymphées, des grottes aménagées le plus souvent sur le rivage, égayées par le clapotis de sources limpides, décorées de statues et d'œuvres d'art et où les plaisirs esthétiques font oublier les inconvénients de la chaleur de l'après-midi : la Grotta Azzura et celle de Matromania à Capri, ou celle de Sperlonga en sont les exemples les plus connus. On se met alors à créer en ville des imitations de ces grottes, aménageant des nymphées, splendides constructions dont l'élément principal est l'eau qui se répand en cascade sur une série de gradins et s'écoule dans un bassin. La nymphée de la maison du Centenaire est de loin la plus grandiose, et les tricliniums-nymphées (particulièrement remarquables par l'abondance des marbres) dans la maison de Julia Felix (II, 4, 3) et la maison du Bracelet d'or (VI, *ins. occ.*, 42) allient l'image de la grotte à celle du *stibadium*, sorte de triclinium d'été en plein air.

Lorsqu'il n'est pas possible de faire édifier une véritable nymphée, de grosses fontaines munies de niches, imitant plus ou moins la forme d'une grotte, souvent décorées de coquillages et de splendides mosaïques en pâte de verre polychrome, déclinent ce thème sous toutes ses formes. Les maisons de la Grande et Petite fontaine, celle de l'Ours blessé (VII, 2, 45), celle des Savants (VI, 14, 43), du Bracelet d'or (VI, *ins. occ.*, 42) offrent un échantillonnage de ces décorations très spectaculaires.

Dorénavant, il est facile d'égayer les jardins de jeux aquatiques en une ronde de fontaines, de jets d'eau, de sources jaillissant de

Page 112

En haut, à gauche

Simpule

Argent. Ier s. apr. J. C.
Pompéi.
Naples, Museo Archeologico Nazionale.

Petite coupe à anse ou à long manche pour les libations utilisée lors des sacrifices et pour puiser le vin du cratère.

En haut, à droite

Coquemar à pattes de lion

Bronze. Entre le Ier s. av. J. C. et le Ier s. apr. J. C. Hauteur 46 cm.
Pompéi.
Naples, Museo Archeologico Nazionale.

En bas

Coupe avec anses

Argent. Ier s. apr. J. C.
Hauteur : 12 cm.
Pompéi.
Naples, Museo Archeologico Nazionale.

Page 113

En haut

Pichet

Argent. Ier s. apr. J. C.
Hauteur : 24 cm, diamètre : 9,5 cm.
Maison de Ménandre, Pompéi.
Naples, Museo Archeologico Nazionale.

Au centre

Petite cruche cannelée

Argent. Ier s. apr. J. C.
Hauteur : 10 cm.
Maison de Ménandre, Pompéi.
Naples, Museo Archeologico Nazionale.

À l'attache de l'anse, petite tête féminine en ronde-bosse.

En bas

Patère

Argent. Ier s. apr. J. C.
Hauteur : 7,1 cm, longueur : 27 cm, diamètre : 15 cm.
Pompéi.
Naples, Museo Archeologico Nazionale.

Coupe évasée utilisée lors des sacrifices et pour puiser le vin du cratère.

la bouche de dauphins, de vasques soutenus par des amours, de masques grimaçants, en bronze, en marbre, dont les modèles proviennent de l'inépuisable répertoire de la sculpture grecque.

LES SCULPTURES DANS LE JARDIN ET LA MAISON

Le jardin devient une véritable galerie d'œuvres d'art, comparable à celles que l'on pouvait admirer dans les villas des riches collectionneurs de l'époque, à l'affût des plus belles pièces de l'art grec pour lesquelles ils étaient prêts à débourser des sommes considérables. Le long des allées et sur les bords sont alignés des colonnettes et des pilastres surmontés d'hermès et de masques, des statuettes d'amours et de divinités sylvestres, des Bacchus, des Vénus, des Hercule. Le plus extraordinaire jardin-galerie est certainement celui de la villa des Papyrus à Herculanum et des maisons comme celle des Vettii (VI, 15, 1), des Amours dorés, du Cithariste, de Marcus Lucretius (IX, 3, 5) qui nous ont laissé de très beaux exemples de la richesse et de la variété de la statuaire de jardin. Dans la maison d'Octavius Quartio (II, 2, 2), qui à l'instar de Fabius Rufus renonce aux portiques entourant le jardin pour l'ouvrir plus largement sur la nature environnante, les statues sont disposées à la manière égyptienne, sur les bords d'un long canal, l'*euripe*, qui, traversant le vaste jardin, symbolise le Nil, fleuve bénéfique pour les terres qu'il arrose. Peu importe si à Pompéi ces œuvres sont pour la plupart de simples copies, ou qu'il s'agisse de produits exécutés en série. La sculpture est désormais un élément indispensable de décoration des jardins et des nymphées, comme l'était depuis toujours la peinture dans la maison. Il n'est pas aisé de se faire une idée, à travers l'analyse des éléments de décoration d'une maison, de la personnalité et de la culture de son propriétaire. L'exercice peut en effet se révéler périlleux, car l'ensemble d'« objets d'art » exposés n'a souvent pas grand-chose à voir avec l'art proprement dit ni avec la culture artistique du maître des lieux, et ne reflète, souvent de manière très superficielle, que ses goûts personnels, lesquels, comme nous le verrons, ne sont pas toujours très raffinés. Les Romains, pourtant très attentifs aux critères esthétiques, ne parvinrent jamais à la conception pure de l'art pour l'art, valeur absolument autonome de l'esprit, typique de la civilisation grecque. Ils appréciaient dans l'art ses aspects utilitaires, décoratifs, susceptibles de

Page de gauche, en haut

Coupe avec feuilles stylisées

Argent. Ier s. apr. J. C.
Hauteur : 8 cm, diamètre : 13, 4 cm.
Région du Vésuve.
Naples, Museo Archeologico Nazionale.

En bas

Petite gourde thermophile

Argent. Ier s. apr. J. C.
Hauteur : 15 cm, diamètre : 11,2 cm.
Pompéi.
Naples, Museo Archeologico Nazionale.

Ci-dessous

Plateau

Argent. Milieu du Ier s. apr. J. C.
59,5 x 40,5 cm.
Herculanum.
Naples, Museo Archeologico Nazionale.

renforcer le prestige de celui qui l'expose dans sa demeure. Même les personnalités les plus remarquables n'échappèrent pas à cette conception très terre à terre de l'expression artistique. Ainsi Cicéron, pour ne citer que lui, demanda à Atticus de lui procurer sur le marché de l'art des bas-reliefs afin de pouvoir les intégrer au revêtement d'un petit atrium. Il n'est donc pas surprenant de trouver dans de riches maisons pompéiennes des statues de bronze grandeur nature, très certainement des copies des œuvres appartenant à la plus noble tradition de la statuaire grecque, utilisées comme porte-flambeaux pour éclairer les tricliniums pendant les banquets nocturnes, comme ces *lychnophoroi* retrouvés dans les maisons de Fabius Rufus, de Julius Polybius et dans celle de l'Éphèbe (I, 7, 11). D'autres fois, il s'agit de pièces originales appartenant à la tradition artistique d'Alexandrie, comme les petits bronzes des *placentarii*, les vendeurs de galettes, découverts dans la maison de l'Éphèbe où ils servaient de présentoirs pour la nourriture. Pour une raison diamétralement opposée, il n'est pas rare de trouver des hauts-reliefs en marbre d'une grande finesse, protomes ou pattes d'animaux sauvages, sculptés presque en ronde-bosse parmi des rinceaux, des volutes et des feuilles d'acanthe traités en bas-relief qui décorent luxueusement les tables et les *cartibula*, placés respectivement dans le jardin et dans l'atrium.

Portrait de femme

Fresque du troisième style.
41 x 26 cm.
Herculanum.
Naples, Museo Archeologico Nazionale.

HERMÈS ET STATUES

D'un intérêt artistique et d'une originalité nettement supérieurs, les bustes en marbre ou en bronze, qui avaient d'abord représenté un art funéraire dans la pure tradition du réalisme italique et exalté l'idéologie républicaine du culte de la personnalité, ornent maintenant les atriums des demeures patriciennes, attestant un prestige civique et un orgueil pareils à ceux qui émanent des statues des citoyens ayant servi la patrie, érigées sur le forum et dans d'autres lieux publics.

Les hermès en marbre de la maison de Cornelius Rufus (VIII, 4, 15) et de celle d'Orphée (VI, 14, 20) ou les bustes de bronze de la demeure de Caecilius Jucundus (V, 1, 26), signes évidents de distinction, y sont placés à titre honorifique et expriment la gratitude de la *familia*.

Dans l'édifice d'Eumachie se trouve la statue de la prêtresse que les foulonniers firent ériger en hommage à leur protectrice.

Dans la villa des Mystères, la statue dite de Livia – en réalité il s'agit d'une autre prêtresse – honore un des membres d'une illustre famille, la *gens* Istacidia, propriétaire de la villa. Ces deux statues suivent dans les drapés et les coiffures la tendance classicisante mise à la mode à Rome par les femmes de la famille impériale.

Médaillon avec jeune homme

Fresque du quatrième style.
28 x 22 cm.
Herculanum.
Naples, Museo Archeologico Nazionale.

LES BIBELOTS DE LUXE

Cette frénésie de richesse, cette course aux apparences, cette quête permanente d'approbation sociale s'exprimaient souvent à travers les arts mineurs, dont les œuvres réalisées par des artisans de grand talent étaient très recherchées par les collectionneurs. Marque de prestige, les objets précieux, l'argenterie, qui sont pour la maison ce que les bijoux sont pour le corps, étaient exposés à l'occasion des réceptions et des banquets. L'abondance des objets en or et en argent, en particulier dans les services de table, était un des signes extérieurs de richesse les plus prisés et devait refléter tant le goût personnel que la puissance économique des amphitryons. Pétrone, « l'arbitre de l'élégance » à la cour de Néron, nous en dit long sur cette passion du luxe lorsque, dans son roman *Satiricon*, il place à l'entrée de la maison de son héros, Trimalcion, l'inoubliable « nouveau riche », un concierge occupé à écosser les petits pois dans un plat d'argent.

Le verre, matériau pauvre et très largement diffusé, qui généralement imitait les formes de la vaisselle noble, va donner lieu à des chefs-d'œuvre comme le « vase bleu » orné, selon la technique du verre-camée, d'amours faisant les vendanges parmi les rinceaux et les pampres de vignes, ou les coupes de verre de Stabies qui imitent l'obsidienne translucide, avec des figures en relief à motifs égyptiens serties de pierres dures, de coraux polychromes et de filigranes d'or. Des pièces d'argenterie ont été retrouvées dans de nombreuses maisons pompéiennes, mais il faut mentionner surtout deux collections entières qui nous sont parvenues. L'une provient de la maison de Ménandre et est constituée de 118 pièces, l'autre de la villa de la Pisanella à Boscoreale et compte 109 pièces. Toutes deux comportent des objets de diverses périodes, de la fin de la République à l'époque de Néron, avec une partie importante datant de l'ère d'Auguste. Les figures s'inspirent de thèmes dionysiaques, mythologiques, naturalistes, philosophiques et allégoriques. La tradition grecque est, ici encore, le modèle à partir duquel les orfèvres – certains sûrement romains ou campaniens – déploient leur admirable maîtrise technique dans l'art de la ciselure et de l'argent repoussé. Chauffe-plats, braseros, candélabres, lanternes, services de table, moules à gâteaux et autres objets en bronze, avec des décorations en relief, parfois d'une finesse extraordinaire, contribuaient à la mise en valeur de la maison, affichant un luxe qui, par-delà les caprices de la mode, s'était pacifiquement imposé comme facteur incontournable de prestige social.

LA DÉCORATION PICTURALE : LE TROISIÈME STYLE

Déjà dans les dernières années de la période républicaine, le second style avait subi des transformations notables, qui l'avaient progressivement éloigné du réalisme à effet de trompe-l'œil de la représentation architecturale. Les structures s'étaient faites plus discrètes et semblaient avoir tendance à s'affirmer dans une dimension picturale propre sans plus s'attacher à la reproduction de la réalité. Les vues en perspective d'édifices et les colonnades qui occupaient la partie centrale de la paroi peinte laissaient maintenant place au tableau proprement dit et les éléments architecturaux décoratifs avaient plutôt un rôle d'encadrement. Les parois, que la peinture tendait auparavant à faire oublier par ses jeux d'illusion, deviennent maintenant le support de référence pour l'expression autonome d'une représentation ornementale et fantastique, où les colonnes se transforment en tiges végétales ou en candélabres, tandis que les espaces se subdivisent et se hiérarchisent.

Un contemporain, l'architecte Vitruve, exprime ainsi sa déception et son incompréhension vis-à-vis de cette nouvelle manière : « On peint sur les murs des choses qui n'ont pas de sens (*monstrum*) et non plus les images réelles de choses que nous connaissons : à la place des colonnes, des tiges cannelées avec des feuilles ridées et pampres de vigne ; au lieu des frontons, de feintes arabesques ; de même des candélabres soutiennent des images de petits temples aux frontons desquels de tendres fleurs et figurines sont assises sans aucune logique sur des buissons à volutes ; on y voit encore des tiges se terminant en personnages

Médaillon avec jeune femme

Fresque du quatrième style.
28 x 22 cm.
Herculanum.
Naples, Museo Archeologico Nazionale.

Bacchus et une ménade

Fresque du quatrième style.
36 x 37 cm.
Origine incertaine.
Naples, Museo Archeologico Nazionale.

Sapho

Fresque du quatrième style.
31 x 31 cm.
Région VI, *insula occidentalis*, Pompéi.
Naples, Museo Archeologico Nazionale.

La jeune femme est représentée avec un stylet et une sorte de livre formé de plusieurs tablettes de cire, attributs de la personne cultivée.
Le réticule en fils d'or qui retient sa chevelure, selon la mode de l'époque de Néron, et les lourdes boucles d'oreille en or signent son appartenance à un milieu aisé, et le léger strabisme est une des caractéristiques de Vénus. Le portrait de cette jeune maîtresse de maison était accompagné de celui de son mari, représenté avec un volume de Platon entre les mains.

Héraclès retrouve son fils Télèphe en Arcadie

Détail : portrait d'Héraclès.
Fresque du quatrième style.
218 x 182 cm.
Basilique, Herculanum.
Naples, Museo Archeologico Nazionale.

représentés à mi-buste, avec des têtes humaines ou animales. Eh bien, toutes ces choses n'existent pas, ne peuvent pas exister, n'ont jamais existé. Comment un roseau peut-il soutenir un toit, ou un candélabre les ornements d'un fronton... ? »

Il est vrai que les valeurs et les composantes du code décoratif qu'employait la peinture pour définir et hiérarchiser selon leur fonction sociale les lieux qu'elle embellissait sont désormais admises par tous. La peinture peut donc renoncer à la représentation descriptive du réel et se contenter d'y faire allusion, développant un langage propre, purement symbolique. Tout spectateur est maintenant bien conscient de la valeur allégorique de la colonne et celle-ci n'a plus besoin d'une image réaliste pour que sa fonction sur la paroi soit nettement lisible. Elle peut donc se transformer symboliquement et de manière beaucoup plus décorative en une tige ou un candélabre. La peinture peut poursuivre un discours figuratif autonome, libéré de la tyrannie de l'imitation de l'architecture.

Ainsi naît et s'épanouit le troisième style, très innovateur et peut-être le plus beau. Selon une syntaxe décorative précise la paroi se découpe en trois zones : le soubassement, la partie médiane et la partie supérieure, en une logique déjà mise en place dans les styles précédents, mais qui à présent devient une convention d'expression. Chaque paroi, qui n'entretient avec les autres que des jeux de correspondance formelle par rapport à l'ensemble, s'anime d'une vie autonome. Les architectures figurant dans la partie médiane – la plus importante – se déploient maintenant vers le centre, pour donner vie à un édicule, simple prétexte pour attirer le regard sur une grande scène figurative, en général tirée de la mythologie grecque, véritable point focal de la composition et lieu où un peintre spécialisé, le *pictor imaginarius*, démontre son talent. Ces tableaux, que parfois relie une thématique unique parcourant les diverses pièces de la maison, sont parmi les plus belles peintures que le monde antique nous ait laissées. Pourtant il ne s'agit là que de « documents » qui permettent de se faire une idée de l'art pictural des anciens. On ne saurait y rechercher l'émotion pure du geste créateur. Les peintres copiaient les scènes d'après des « cartons » appartenant à un vaste répertoire, qu'ils interprétaient et modifiaient en fonction des influences subies et de leur habileté. Ces peintures, bien que spirituellement assez froides, nous touchent par la force

des couleurs, les scènes représentées, la conception qu'elles expriment, le monde qu'elles évoquent, et nous procurent un plaisir non pas esthétique et spirituel, mais plutôt émotif et intellectuel d'une intensité rare.

Les tableaux de nombreuses maisons de Pompéi, en particulier de grandes dimensions, comme ceux de la maison du Cithariste, ceux des cellules de la maison de l'Amour fatal (IX, 5, 18-21), ou du triclinium de la villa Impériale, sont aujourd'hui pour nous un des points de référence capitaux de notre histoire culturelle. De chaque côté de l'édicule, la paroi se subdivise en panneaux latéraux peints d'une seule teinte et parsemés de fines décorations, au centre desquels prennent place des vignettes contenant des figures ou des paysages, de facture souvent « impressionniste », sans rapport direct avec les autres éléments de la paroi.

Dans la partie supérieure, les architectures se miniaturisent et expriment par les arabesques, les rinceaux et les volutes des éléments végétaux qui maintenant font partie intégrante du répertoire décoratif, refus catégorique d'un espace réel. Le goût du jour est aux sobres compositions ornementales, aux petits tableaux représentant des paysages ou des natures mortes, des masques, des personnages fantastiques ; toutes les figures que l'imagination peut évoquer sont harmonieusement disposées dans un espace organisé de manière rigide et rationnelle.

L'Égypte, devenue après la bataille d'Azio propriété personnelle de l'empereur, semble occuper une place privilégiée dans les rêveries des Pompéiens, avec le mystère de ses divinités millénaires qui s'entremêlent depuis longtemps au panthéon religieux romain, ses paysages des bords du Nil, ses Pygmées et ses animaux exotiques. Source inépuisable d'inspiration pour la décoration intérieure, l'Égypte est devenue plus qu'une mode – un véritable engouement.

L'exigence de simplicité crée une atmosphère extrêmement raffinée. À ce décor élégant s'accordent des sols aux mosaïques disposées en des motifs géométriques d'une grande sobriété, où alternent le noir et le blanc, renonçant à tout effet de relief ou de composition polychrome. Même lorsque, comme dans l'atrium de la maison de Paquius Proculus (I, 7, 1), la décoration a recours aux éléments figuratifs, ceux-ci sont traités à la manière d'un simple ornement géométrique.

Thésée et le Minotaure
Détail.
Fresque du quatrième style.
194 x 155 cm.
Basilique, Herculanum.
Naples, Museo Archeologico Nazionale.

Femme pensive

Fresque du quatrième style.
53 x 49 cm.
Villa d'Ariane, Stabies.
Naples, Museo Archeologico
Nazionale.

LES JARDINS PEINTS

La grande particularité de ce troisième style est l'apparition de vastes peintures figuratives déployant à l'intérieur de la maison des jardins fantastiques. S'étendant sur un mur ou envahissant toutes les parois d'une des pièces réservées à la vie familiale, parfois agrémentées de marbres ou de *tabulae pictae*, qui soulignent le caractère intime du lieu, ces peintures murales rassemblent en une composition harmonieuse le monde des plantes et celui des animaux. Comme dans la splendide mosaïque représentant le monde sous-marin de la maison du Faune, ces scènes constituent un fabuleux catalogue des diverses espèces d'oiseaux et de plantes familières des villas de la région. Apparaît ici clairement le désir de s'entourer à l'intérieur de la maison de cette nature que l'on peut en même temps admirer au-dehors, comme si l'on voulait la capter pour mieux s'y immerger et en ressentir les palpitations vitales, oubliant tout autre souci. Dans la fiction que met en scène la peinture, la nature est libre : les oiseaux ne sont pas enfermés dans des volières et les plantes poussent spontanément en un joyeux désordre. Cette nouvelle peinture se situe dans la continuité du trompe-l'œil du deuxième style : la description minutieuse et attentive de la réalité végétale et animale se révèle une simple abstraction onirique, un intense désir d'accéder à une réalité imaginaire et idéalisée, qui, derrière le masque d'une apparence concrète, n'existe pas. Ici encore le rêve rapproche l'art et l'esprit.

Le troisième style semble refléter fidèlement la société de la première période impériale, à travers ses manifestations complexes et très variables d'un lieu à l'autre. Les troubles politiques s'étant apaisés, les compositions tourmentées du deuxième style ont fini par lasser et les temps sont dorénavant à la recherche d'un équilibre formel, à la sobriété, voire à l'austérité, à un retour vers les valeurs du passé et du monde classique.

Une nouvelle ère de stabilité s'ouvre au monde efficacement contrôlé par un système solidement établi, et ce goût de l'ordre et de la mesure semble se refléter dans la peinture murale. Guidée par des principes que nul ne songe plus à remettre en cause, l'imagination de l'artiste comme l'esprit enfin apaisé de l'homme de l'époque peuvent alors se révéler dans toute leur authenticité et exprimer le plaisir de vivre.

Scène de jardin

Détail.
Fresque du quatrième style.
Mur sud du jardin de la maison dite de la Vénus à la coquille, Pompéi.

Le mur qui isole le jardin des regards s'orne d'une célèbre représentation de Vénus, aux formes de femme du peuple, langoureusement étendue dans un coquillage. De chaque côté se déploient de splendides scènes de jardin comme cet oiseau au long bec qui s'avance d'un pas craintif parmi la végétation luxuriante d'un jardin bordé de canisses.

Ci-dessus

Les trois Grâces

Fresque du troisième style.
57 x 53 cm.
Maison IX, 2, 16, Pompéi.
Naples, Museo Archeologico
Nazionale.

Page de droite

Les trois Grâces

Fresque du troisième style. 53 x 47 cm.
Région VI, *insula occidentalis*, Pompéi.
Naples, Museo Archeologico
Nazionale.

TRENTE ANNÉES DE TRANSFORMATIONS

Mars et Vénus

Fresque du troisième style.
154 x 117 cm.
Maison de l'Amour fatal, Pompéi.
Naples, Museo Archeologico Nazionale.

Suétone raconte, à propos de Néron et de sa nouvelle résidence impériale, qu'il fit « ériger un palais qui s'étendait du mont Palatin à l'Esquilin... Il était si vaste qu'il avait une triple colonnade longue d'un mille et un lac, grand comme la mer, entouré de bâtiments qui semblaient une ville ; s'y ajoutaient de vastes étendues de verdure avec des champs cultivés, des vignes, des pâturages et des bois peuplés d'une multitude d'animaux sauvages... ». La *Domus Aurea,* la plus extraordinaire résidence dont l'histoire humaine ait, de tous temps et sous toutes les latitudes, attesté l'existence, n'est pas seulement le rêve délirant d'un empereur romain jouissant d'un pouvoir sans limites. C'est aussi le reflet des goûts d'une époque qui, attachée à son bien-être et oublieuse de l'austérité et de la rigueur qu'avait appelées de ses vœux l'ère d'Auguste, s'abandonne voluptueusement à tous les excès. Dans toutes les manifestations de cette période on sent un besoin quasi obsessionnel de surprendre et d'émerveiller, d'adopter un style de vie où l'extraordinaire se confond avec le quotidien. C'est le règne de la licence dans tous les domaines, et la vie semble n'être plus qu'un prétexte aux plaisirs les plus insensés. Les chrétiens sont brûlés vifs pour servir de torches et la vie des gladiateurs dépend du bon vouloir de la foule. L'empereur Claude fait transporter cent navires, dont les lourdes trirèmes et quadrirèmes, sur le lac de Fucino dans les monts

Apennins, où il lance dix-neuf mille hommes dans une spectaculaire bataille navale qui s'achèvera par un bain de sang ; Néron fait châtrer Sporus pour en faire son épouse ; c'est la course quotidienne à l'achat à prix d'or du poisson le plus rare et le plus gros du marché pour étonner ses convives lors des banquets interminables : tel est le climat de l'époque, rythmé par ces manifestations « baroques ».

La démesure et le déséquilibre finissent immanquablement par transparaître dans l'art. L'élégante et austère demeure d'Auguste sur le Palatin fait place au faste tapageur de la *Domus Aurea* de Néron, tandis que la sobriété décorative du troisième style est peu à peu supplantée par une exubérance, un goût du baroque et du spectaculaire qui, apparus sous l'empereur Claude, se déploieront sans retenue dans les peintures réalisées par Fabullus pour la demeure de Néron.

LA DÉCORATION PICTURALE : LE QUATRIÈME STYLE

Le troisième style avait accusé dans sa dernière phase une tendance à surcharger la décoration murale. Les éléments de l'édicule central qui encadraient la scène figurative s'étaient peu à peu désintégrés pour n'être plus que de simples panneaux ornementaux dans lesquels des architectures peintes servaient à nouveau à créer des effets d'ouverture et de perspective, tandis que des lignes, courbes ou ondulées, donnant l'illusion de formes concaves ou convexes, occupaient peu à peu tout l'espace décoré. La partie supérieure, tout en continuant à représenter de manière autonome des architectures miniaturisées, s'aventurait maintenant dans des perspectives de plus en plus compliquées où divers éléments figuratifs – petits tableaux, portes entrouvertes, avec masques, tripodes, *oscilla* – s'accumulaient en des compositions de plus en plus étrangères à tout souci de logique et d'unité. Les parois du tablinum de la maison de Marcus Lucretius Fronto (V, 4, a) offrent un des exemples les plus significatifs du genre avec ses motifs floraux polychromes à profusion, ses bordures des panneaux latéraux surchargées de détails minutieusement peints et de symboles apolliniens et dionysiaques.

Dans le quatrième style, ces tendances s'accentuent. Les panneaux latéraux de la partie médiane « s'ouvrent » souvent pour

Mars et Vénus
Détails.

Ci-dessus

Centaure et ménade

Détail.
Fresque du troisième style.
30 x 136 cm.
Villa de Cicéron, Pompéi.
Naples, Museo Archeologico
Nazionale.

Page de gauche

Dionysos enfant chevauchant une panthère

Mosaïque du premier style.
163 x 163 cm.
Maison du Faune, Pompéi.
Naples, Museo Archeologico
Nazionale.

laisser entrevoir des perspectives architecturales qui entraînent le regard par-delà le mur. Parfois, la paroi tout entière devient le théâtre de jeux compliqués d'architectures fantastiques qui n'ont plus rien à voir avec celles, « réelles », du deuxième style. Les couleurs se font agressives, et les contrastes chromatiques entre les diverses zones de la paroi – où jusqu'alors alternaient harmonieusement deux teintes de fond – éclatent en des tons crus et violents. Les motifs ornementaux, rendus avec un soin de miniaturiste et un souci presque maniaque des détails, s'accumulent, se mélangent les uns aux autres avec une redondance qui semble clamer son horreur du vide. La composition des panneaux évoque un tapis tendu à la manière d'une tapisserie ou, au contraire, semble onduler et s'agiter sous l'effet du vent, comme dans celui du tablinum de la maison de l'Ancienne chasse (VII, 4, 48) dont les bords vont fournir aux peintres l'occasion de se livrer à des prouesses de virtuose en une multitude d'effets décoratifs. Au centre du panneau, des personnages volant dans les airs ou inscrits dans des médaillons, des scènes de genre, des paysages captivent l'attention. La nouvelle manière de peindre ces tableaux est en totale contradiction avec la décoration surchargée des bords du tapis caractérisant ce style. La fluidité du trait, la touche « impressionniste » et l'utilisation judicieuse des ombres portées soulignant les volumes des corps des personnages donnent beaucoup de vie à la scène représentée. De même, surtout dans les paysages, les traits du pinceau et les taches de couleurs permettent des effets de clair-obscur grâce à l'alternance des lumières et des ombres, et créent une impression de profondeur.

Ces tendances extrêmement variées s'expriment dans le cadre de principes de composition et selon des canons bien établis. Ainsi on trouve très souvent dans les logements populaires des peintures murales plus ordinaires et moins onéreuses. Renonçant à des ornementations compliquées au profit d'une sobre répartition des panneaux de diverses couleurs, ces décors s'agrémentent de tableautins aux motifs stéréotypés, tirés d'un répertoire de « modèles » hérités de la tradition grecque et répétés à l'infini.

Satyre et ménade

Fresque du quatrième style.
44 x 37 cm.
Maison des Épigrammes, Pompéi.
Naples, Museo Archeologico Nazionale.

LES PARADEISOI, MÉNAGERIES PEINTES

À côté de ces ensembles décoratifs, de nombreuses maisons possèdent de vastes peintures murales figuratives – scènes mytho-

Ménade endormie

Fresque du troisième style.
230 x 153 cm.
Maison du Cithariste, Pompéi.
Naples, Museo Archeologico Nazionale.

Une ménade, épuisée après la danse orgiaque, s'est abandonnée à un profond sommeil. Son tambourin et son thyrse lui sont tombés des mains. Dionysos s'apprête à la rejoindre.

logiques, telle la naissance de Vénus, scènes de chasse où des bêtes sauvages se livrent combat dans des paysages surréels – occupant toute la surface du panneau, parfois même tout le mur du fond du jardin. Ces compositions spectaculaires semblent vouloir imiter le faste inouï de ces sérails orientaux (*paradeisoi*) où des animaux sauvages vivaient en semi-liberté. Parfois, comme on peut encore l'admirer dans la maison d'Orphée (VI, 14, 20), le mythe s'allie à la scène naturaliste : Orphée apprivoise l'animal au son de sa lyre. Dans la haute société romaine les jardins où évoluaient des animaux sauvages n'étaient pas rares. Nous savons par Varron que bien avant Néron, Hortensius possédait près d'Ostia un véritable parc zoologique où un esclave, travesti en Orphée, apaisait les animaux par son chant et sa musique, au grand amusement des invités. Ainsi, une fois encore, la décoration picturale devient un instrument de rêve, les plaisirs de la vue se substituant agréablement à ceux que promet en vain une richesse ardemment désirée mais inaccessible.

LA PEINTURE D'INSPIRATION POPULAIRE

Un autre type d'expression picturale, dont il existe de nombreux témoignages, occupe dans nos connaissances sur l'art de cette période une place tout à fait à part. Ignorante des codes de la tradition picturale, qui puisait ses références dans la culture grecque, la peinture d'inspiration populaire représente les scènes de la vie quotidienne avec un regard désenchanté et une grande spontanéité. Ce sont en général des enseignes de magasins, des peintures destinées aux dieux lares, des petits tableaux montrant des scènes d'auberge, des artisans ou des commerçants au travail, des processions religieuses ou l'animation du forum, des étreintes sexuelles crûment représentées ; bref, toute une humanité variée et pleine de vie. Le style narratif de ces peintures en fait de précieux documents sur la vie de l'époque, tout comme les bas-reliefs de même origine, d'une fraîcheur inégalée, qui ont parfois la vivacité de la bande dessinée.

Parfois ce genre pictural, à l'instar des bas-reliefs sculptés de la même période, saisit un événement d'actualité, dans un style proche de l'instantané photographique, comme dans le célèbre petit tableau qui montre la rixe qui éclata dans l'amphithéâtre entre gens de Pompéi et de Nocera en 59 de notre ère.

Ci-dessus

Thésée et le Minotaure

Mosaïque du deuxième style
Diamètre : 45 cm.
Pompéi.
Naples, Museo archeologico
Nationale.

Page de droite

Thésée libérateur

Fresque du quatrième style.
97 x 88 cm.
Maison de Gaius Rufus, Pompéi.
Naples, Museo Archeologico
Nazionale.

Thésée ayant tué le Minotaure qui gît, les pattes en l'air, à l'entrée du labyrinthe, est fêté par les jeunes Athéniens devant les Crétois ahuris et incrédules.

Ariane

Fresque du quatrième style.
76 x 70 cm.
Maison de Méléagre, Pompéi.
Naples, Museo Archeologico Nazionale.

LES MOSAÏQUES ET LES STUCS

Ce goût baroque du quatrième style se traduit dans la décoration des sols par des compositions compliquées où les tesselles noires et blanches forment à nouveau des figures, placées le plus souvent à l'entrée de la demeure, flattant l'orgueil du propriétaire. La très célèbre mosaïque du chien de garde portant l'avertissement « *Cave canem* » dans le vestibule de la maison du Poète tragique (VI, 8, 3) est tout à fait caractéristique de cette période, comme celle qui représente un ours blessé sur le seuil de la maison du même nom (VII, 2, 45) et où quelques tesselles de couleur insérées dans la composition noir et blanc mettent en relief certaines parties du dessin. On a tenté de donner à ces figures les touches lumineuses qui rappellent celles en vogue dans la peinture de l'époque en utilisant des tesselles blanches non seulement pour les contours, mais aussi dans les détails du corps de l'animal réalisé en noir, tels des coups de pinceau suggérant les volumes.

Parallèlement, un intérêt nouveau se manifeste pour les décorations en stuc, utilisées conjointement à la décoration picturale, comme dans le tablinum de la maison de Méléagre (VI, 9, 2), mais surtout pour les corniches qui surmontent les parois à la hauteur du plafond. D'abord lisses et claires, elles s'enrichissent maintenant de rangées de palmettes et de fleurs de lotus de couleurs vives. Les édifices publics, les thermes témoignent eux aussi abondamment du goût retrouvé pour la manière décorative propre au premier et au deuxième style, que le troisième, peu intéressé aux effets de relief, avait délaissée. Des parois entières, comme celle du gymnase des thermes de Stabies, et des plafonds sont décorés de stucs. L'impression de mouvement qu'offrent les motifs en trois dimensions, le vaste répertoire des figures, la variété des polychromies, la difficulté d'exécution qui maintenait ces ornements loin de la portée de toutes les bourses, font des stucs un des éléments les plus significatifs de l'art de cette période.

Le quatrième style, extraordinairement varié, semble surtout être une des manifestations de l'agitation tapageuse d'une société où les classes montantes aspirent de manière désordonnée à se faire par tous les moyens une place au soleil.

Héraclès retrouve son fils Télèphe en Arcadie

Détail : Télèphe nourri par une biche.
Fresque du quatrième style.
218 x 182 cm.
Basilique, Herculanum.
Naples, Museo Archeologico Nazionale.

LES AFFRANCHIS ET LES NOUVEAUX ENTREPRENEURS

Les affranchis, c'est-à-dire les esclaves qui ont réussi à reprendre leur liberté, ces « hommes nouveaux », partis de rien, qui par leurs seules capacités avaient pu amasser de belles fortunes, étaient en quête, pour eux-mêmes et pour leurs descendants, de considération sociale et de respectabilité.

Ces affranchis, souvent des étrangers, constituaient un élément nouveau, qui bouleversait l'équilibre des classes inférieures. Libres de tout conditionnement familial, sans scrupules de rang lorsqu'il s'agissait de s'enrichir dans une période qui offrait mille occasions de faire fortune, ils pouvaient, une fois leur but atteint, briguer légitimement une place honorable dans la hiérarchie sociale. Ils s'efforçaient donc de s'entourer d'une aura de prestige pour conquérir cette respectabilité que l'argent ne peut acheter.

Entrepreneurs très actifs, hommes d'affaires avisés, habiles commerçants, ils représentaient l'élément dynamique de la société. Au patrimoine immobilier, constitué surtout de terrains, qui avait caractérisé les fortunes de l'ancienne classe possédante, ils opposaient d'impressionnants capitaux en liquide qui leur permettaient de saisir aussitôt les meilleures occasions du marché, de se lancer dans des entreprises à risque, mais pouvant produire de très fortes plus-values. Le prêt usuraire et le financement de manufactures constituaient leur champ d'action préféré.

LE TREMBLEMENT DE TERRE DE 62 ET LA SPÉCULATION IMMOBILIÈRE

Ces phénomènes, assez répandus dans le monde romain, prirent un caractère particulièrement aigu à Pompéi à la suite du violent tremblement de terre qui provoqua en 62 de notre ère des dégâts considérables et fournit l'occasion d'entreprendre d'importants travaux de reconstruction. Le fait de disposer d'énormes capitaux immédiatement disponibles permit à beaucoup de ces nouveaux riches de mettre en œuvre de fructueuses opérations financières centrées essentiellement sur la spéculation immobilière. Des propriétés prestigieuses changèrent de main. En effet, ils pouvaient lorgner vers ces biens appartenant à de riches familles romaines qui ne voyaient plus l'intérêt d'entretenir ces

coûteuses villas dans un environnement sinistré, et en même temps mettre facilement la main sur des maisons de ville fortement touchées dont les propriétaires n'avaient pas les moyens d'entreprendre les indispensables opérations de restauration. La désorganisation administrative qu'avait entraînée le tremblement de terre laissait le champ libre à de nombreux abus et à des constructions sans aucune autorisation ni contrôle. Les instances municipales, compromises dans une affaire de trafic d'influences, n'avaient ni les moyens ni l'intention d'exercer leur contrôle et de s'opposer aux contrevenants.

Achille à Skyros

Fresque du quatrième style.
140 x 90 cm.
Maison des Dioscures, Pompéi.
Naples, Museo Archeologico Nazionale.

LA TRANSFORMATION DES HABITATIONS

Les signes de la rapide mutation sociale sont tout à fait tangibles lorsqu'on observe certaines maisons. Les transformations entreprises au cours de la période précédente s'accélèrent. Les dégâts causés par le tremblement de terre sont souvent réparés à la hâte, par de simples rafistolages ; on utilise la brique quel que soit le matériau d'origine et on recourt au procédé économique du châssis. C'est aussi l'occasion de réaliser des modifications plus radicales des structures de l'habitat, à tous les niveaux de la société.

La maison de Ménandre, qui appartenait à une des plus nobles familles de Pompéi, dont était issue Poppée, l'épouse de Néron, fait elle aussi l'objet de transformations dans un but spéculatif. Les plafonds des chambres situées à droite de l'atrium sont abaissés pour permettre la construction d'un premier étage. Certaines maisons, dotées d'un escalier donnant l'accès direct depuis la rue, sont transformées en lupanars, gérés, naturellement, par les serviteurs. Pour agrandir la maison de l'Éphèbe, on réunit plusieurs habitations mitoyennes. Partout où c'est possible, on construit un étage supplémentaire : dans la maison des Caeii (I, 6, 15), pour ajouter une série de chambres au-dessus du tablinum, on n'hésite pas à installer dans l'atrium un escalier en bois caché par une cloison en cachant les peintures murales qui s'y trouvent.

Même dans les maisons dont la structure ne semble pas avoir été modifiée, on peut observer les changements de condition sociale des occupants. D'imposantes maisons à atrium de l'époque samnite sont restructurées et transformées en immeubles de rap-

Achille et Chiron

Fresque du quatrième style.
125 x 127 cm.
Basilique, Herculanum.
Naples, Museo Archeologico
Nazionale.

Le sacrifice d'Iphigénie

Fresque du quatrième style.
140 x 138 cm.
Péristyle de la maison du Poète tragique, Pompéi.
Naples, Museo Archeologico Nazionale.

Le tableau représente simultanément divers épisodes du mythe d'Iphigénie, fille d'Agamemnon, offerte en sacrifice pour garantir le succès de l'expédition contre Troie.
La jeune fille se tient au centre de la composition. Ulysse et Diomède l'entraînent de force vers le lieu du sacrifice. Son père, affligé, se couvre le visage et Calcante, terrifié, hésite. En haut on aperçoit Artémis acueillant sur son nuage la jeune fille sur le dos de la biche qu'elle a envoyée pour la sauver.

port. Dans la maison d'Ariane (VII, 4, 31/51), les pièces qui entourent le second péristyle finiront par abriter un lavoir et des entreprises de transformation des produits agricoles. À côté, dans la maison des Chapiteaux à figures, un atelier de tissage est installé dans le péristyle et divers ateliers textiles sont aménagés dans la maison VI, 13, 6, et dans celles des Cénacles à colonnes (VI, 12, 1-5). L'austère maison de Salluste est transformée en auberge tandis qu'un restaurant est aménagé dans la maison de l'Ours blessé et que la maison V, 1, 15 devient un lupanar, pour ne citer que quelques exemples.

La crise du logement, l'arrivée dans la ville de nombreux artisans, nécessaire pour faire face aux demandes d'agrandissement et de réparations, entraîne une pénurie de logements à louer, expliquant la frénésie de construction d'étages supplémentaires et l'augmentation spectaculaire du nombre d'auberges, plus de quarante-quatre, considérable pour une ville qui ne comptait probablement pas plus de douze mille habitants.

On a trouvé des petites annonces peintes sur les façades d'immeubles collectifs restructurés pour la location. Dans le bloc où se trouve la maison de Pansa (VI, 6), une des plus grandes de l'époque samnite, un panneau annonçait : « À partir du premier juillet, dans ce bloc d'immeubles, qui appartint à Arrius Pollio et dont aujourd'hui Cnaeus Alleius Nigidius Maius est propriétaire, à louer boutiques avec mezzanine, appartements pour chevaliers au premier étage et logements. S'adresser à Primus, serviteur de Cnaeus Alleius Nigidius Maius. » De même dans le bloc appartenant à Julia Felix (II, 4) une annonce proposait : « À louer dans la propriété de Julia Felix, fille de Spurius, des thermes fréquentés par le meilleur monde, boutiques, mezzanines, appartements au premier étage, pour une durée de cinq ans à partir du 13 août et jusqu'à la sixième année. À la fin de la cinquième année le bail sera renouvelé par simple accord mutuel. »

Ce « complexe » qui allie une partie privée destinée au logement à des commerces et des lieux de réunions publiques – thermes, piscine et installations sportives, telles celles réservées aux jeux de balle – est d'une extraordinaire modernité. L'abside du *calidarium*, qui s'ouvre par de larges baies vitrées sur le jardin, comme dans les thermes suburbains, montre que l'architecture romaine avait désormais complètement subordonné la qualité de l'habitat à celle de l'environnement et aux valeurs esthétiques

Énée blessé

Fresque du quatrième style.
45 x 48 cm.
Maison de Siricus, Pompéi.
Naples, Museo Archeologico Nazionale.

Énée, blessé, entoure de son bras son fils Ascagne en pleurs, tandis que le chirurgien Iapyx extrait la flèche de la blessure. À l'arrière-plan, deux guerriers troyens et Vénus accourue pour protéger Énée.
La guerre de Troie est l'un des thèmes les plus fréquents de la peinture décorative pompéienne.

du paysage. Ces grandes verrières avaient l'inconvénient d'entraîner d'importantes déperditions d'énergie en ces lieux où la température devait être maintenue très élevée. Mais le spectacle de la nature étant devenu indispensable, une telle dépense était considérée comme un luxe nécessaire. Dans la partie de la demeure réservée à la vie privée, un long portique à pilastres de marbre délimite un jardin au centre duquel coule un canal enjambé par un ponton et comportant des trous assez profonds pour permettre aux poissons de s'y reproduire.

Le jardin, un véritable temple à la déesse Isis, était conçu dans l'intention d'offrir par ses ornements, ses fontaines, ses statues (dont celle en terre cuite d'un des sept sages, Pythaque de Mytilène) une atmosphère accueillante au visiteur cultivé, un paysage idyllique invitant à la méditation religieuse, et était situé en face du triclinium orné d'une nymphée, également revêtue de marbre. Un immense espace vert s'étendait au-delà du jardin agrémenté de portiques. Enfin, un restaurant offrait à une clientèle variée divers types de menus. Ainsi le thermopolium proposait un casse-croûte à consommer sur le pouce, tandis que des tables et des sièges en maçonnerie invitaient à prendre un repas confortablement assis. Des lits dans le même matériau permettaient même d'organiser des banquets.

LES TRICLINIUMS D'ÉTÉ

Un des éléments les plus significatifs de l'architecture privée est alors le triclinium en maçonnerie qui est de plus en plus souvent installé dans les jardins et les espaces verts. Comme pour les nymphées, il s'agit là de transposer dans le cadre d'une maison de ville les fastes des villas de plaisance. S'inspirant directement du *stibadium*, ce simple lit de repos champêtre, très répandu dans le monde hellénistique et à Alexandrie, va vite être adopté à Pompéi, où un climat agréable permet de vivre au grand air presque toute l'année. Bien adapté au luxe de la grotte-nymphée, le lit de banquet de plein air est souvent installé à proximité des jeux d'eau.

Dans la riche maison de l'Éphèbe, le triclinium d'été, éclairé la nuit par un éphèbe de bronze qui portait les flambeaux, était installé sous une pergola soutenue par des colonnes. Une petite cascade alimentée par une statue-fontaine venait s'écouler juste

Zéphyre et Chloris

Fresque du quatrième style.
189 x 243 cm.
Maison du Navire, Pompéi.
Naples, Museo Archeologico
Nazionale.

devant les trois lits de repos. Une scène de chasse aux animaux sauvages peinte sur les parois, une série de tableaux évoquant la fertilité des bords du Nil en crue et une scène de banquet en plein air où un couple s'étreignait, encouragé par l'assistance, complétaient ce décor de rêve. Dans la maison d'Octavius Quartio, l'eau qui jaillissait d'une fausse grotte derrière le lit de banquet à deux places allait se déverser dans le canal qui, avec ses statues et sa petite chapelle dédiée à Isis, évoquait l'Égypte.

À Herculanum, dans la maison de Neptune et Amphytrite, le triclinium d'été comportait une fontaine-nymphée ornée de masques de théâtre en marbre. Sur la paroi du fond, une mosaïque polychrome à tesselles en pâte de verre aux couleurs éclatantes représente le dieu de la mer accompagné de son épouse Amphytrite.

Le triclinium d'été n'était pas seulement un luxe, qui avait rôle de représentation sociale bien précise ; c'était aussi une installation très pratique, réalisable à peu de frais et qui ne demandait que peu d'espace dans le jardin. On voit bientôt surgir par dizaines ces tricliniums et leurs pergolas au milieu de la verdure, en particulier dans le quartier jouxtant l'amphithéâtre, où les îlots d'habitation étaient entourés de vastes espaces verts entretenus à des fins agricoles, avec des vignes et des champs de fleurs destinées à la parfumerie. Dans la même zone, des maisons absolument ordinaires, quelquefois vraiment très petites, comme les maisons-ateliers où travaillaient les artisans, se dotaient d'un triclinium, parfois de la taille d'un mouchoir de poche. Le goût du luxe de quelques-uns semble s'être mué alors en un phénomène de masse, à but essentiellement commercial. Ces tricliniums pouvaient en effet être loués pour des banquets, et – puisque l'amphithéâtre était proche – à l'occasion des spectacles de gladiateurs inviter ceux qui étaient venus de loin à y prendre agréablement quelques instants de repos et à s'y restaurer.

Amazone

Fresque du quatrième style.
89 x 79 cm.
Herculanum.
Naples, Museo Archeologico Nazionale.

Le tableau occupe la partie supérieure gauche d'une paroi. L'effet de trompe-l'œil donne l'impression d'une large fenêtre s'ouvrant sur des perspectives architecturales. Sur la balustrade est assise une amazone tenant une épée et la *pelta*, petit bouclier grec tronqué. Ces architectures à personnages sont un des motifs récurrents des parois peintes divisées en compartiments.

L'ASCENSION VERS LE POUVOIR : POPIDIUS CELSINUS ET JULIUS POLYBIUS

Les importants moyens financiers des nouveaux riches et leur désir de reconnaissance sociale les entraînaient inévitablement à briguer le pouvoir politique, prolongement naturel du pouvoir économique. C'était en effet dans la société romaine le moyen

Décor de théâtre en trompe-l'œil avec perspective à six plans

Fresque du quatrième style.
198 x 132 cm.
Herculanum.
Naples, Museo Archeologico Nazionale.

de conquérir un statut social prestigieux et de se voir confier une fonction officielle qui, par les privilèges qui y étaient associés, faisait du nanti un notable de la ville.

Le désir d'ascension sociale est très caractéristique de la vie publique pompéienne à cette période. Deux personnages en sont un excellent exemple.

Numerius Popidius Ampliatus est un ancien esclave qui a appartenu à une des plus anciennes familles. Ayant été affranchi, il a reçu, en raison de ses moyens financiers considérables, la plus haute marque de reconnaissance officielle : une nomination à la charge de *minister* de la Fortuna Augusta. C'était là l'un des plus grands honneurs auxquels il pouvait prétendre. N'étant pas né libre, il ne pouvait accéder à la magistrature, c'est-à-dire à l'administration de la cité, ni siéger au conseil des décurions, le sénat local. Son argent pouvait en revanche être d'une grande utilité pour ses concitoyens. Un compromis fut bientôt trouvé sous la forme du mécénat, tout à fait intéressé. Au nom de son fils, Numerius Popidius Celsinus, il fit restaurer à ses frais le temple d'Isis, complètement détruit par le tremblement de terre de 62. Les sénateurs de la ville, en reconnaissance de sa générosité, cooptèrent Celsinus et l'invitèrent à siéger. L'histoire pourrait s'arrêter là si un détail ne venait éclairer non seulement l'anecdote, mais les raisons qui incitaient les riches entrepreneurs à viser une carrière politique, et expliquer les liens étroits qui unissaient la classe au pouvoir et le financement des constructions publiques : lorsque Celsinus fut nommé sénateur, il n'était qu'un enfant de six ans, bien incapable de délibérer des problèmes de la cité. Mais le conseil municipal s'assurait ainsi la haute main sur la fortune d'Ampliatus en échange de l'accession de sa descendance à l'aristocratie pompéienne avec tous les bénéfices concrets et le prestige qui en découlaient.

À cette époque une place parmi les privilégiés de la cité ayant une charge officielle était encore très convoitée, malgré les investissements considérables que cela exigeait. Mais les dépenses ne cessèrent de s'alourdir, et quelques décennies plus tard Pline le Jeune, dans une lettre adressée à l'empereur Trajan, se plaint de la difficulté de trouver parmi ses concitoyens des personnes qui accepteraient la fonction de décurion. Lorsque les décurions devinrent directement responsables de la perception des taxes, dont ils devaient garantir sur leur fortune personnelle le montant

à verser dans les caisses du pouvoir central, la présence dans les sénats locaux de personnages aux moyens financiers importants, fussent-ils affranchis, fut presque automatique. Ainsi plus tard, à la fin de l'Empire, le véritable privilège consistait à faire partie de la classe des *immunes*, c'est-à-dire de ceux qui étaient dispensés d'assumer des charges municipales…

À Pompéi, vers la fin du Ier siècle, peu de temps avant l'éruption de 79, siéger parmi l'aristocratie du sénat est encore un privilège envié. Ce fait est confirmé par les nombreux panneaux qui vantent tour à tour les mérites de tel ou tel candidat, témoignage d'une campagne électorale passionnée, mais aussi des manœuvres complexes de Caius Julius Polybius à chaque étape de son ascension politique. Son nom grec et de noble origine indique qu'il est le descendant d'un affranchi de l'empereur Auguste, installé à Pompéi déjà sous l'Empire. Il habitait une somptueuse demeure à double atrium de l'époque samnite. Il en avait fait l'acquisition afin de se doter d'un cadre de vie digne du rang que lui avait procuré sa réussite économique. On a découvert dans cette maison une riche collection de bibelots en bronze, révélatrice du luxe dont s'entourait son propriétaire. Parmi les plus beaux, citons le bronze archaïsant d'un éphèbe portant une lampe, un cratère évasé en bronze représentant une scène mythologique et une hydre provenant du Péloponnèse, de la fin de la période archaïque, pièce maîtresse d'une collection d'antiquités qui déjà à l'époque était considérée comme prestigieuse.

Mais Polybius est un « homme nouveau », et pour se frayer un chemin dans la vie publique, il doit, bien que fortuné, savoir jouer des coudes. Nous le voyons donc très engagé dans la vie politique de la cité durant tout le règne de Vespasien. Fort de son propre électorat, c'est-à-dire de sa capacité à contrôler un grand nombre de votes, il s'emploie à tisser des alliances politiques avec les personnalités qui « comptent » dans la vie municipale. Faisant preuve d'une grande habileté politique, élection après élection il met à la disposition des personnages les plus influents son nom et ses relations, les soutenant sans réserve dans leurs campagnes. Cela lui permettra, lorsque enfin les conditions seront favorables et qu'il présentera sa propre candidature, de bénéficier à son tour de l'appui électoral des personnages dont il avait été le « grand électeur ».

Triclinium avec fontaine

Ier s. apr. J. C.
Maison de la Mosaïque de Neptune
et d'Amphitrite, Herculanum.

Lié en affaires à la corporation des boulangers, il prend grand soin, pour se faire admettre par l'aristocratie, d'apparaître comme un intellectuel raffiné, sans pour autant négliger sa base électorale. Sur une affiche qui est un petit chef-d'œuvre de diplomatie, il se présente comme *studiosus et pistor,* « intellectuel et boulanger ». Afin de conquérir les faveurs de larges tranches de la population, il n'hésite pas à puiser dans ses fonds personnels au bénéfice non seulement de la communauté, mais peut-être aussi, très directement, de certains concitoyens, comme le laisse entendre cette affiche au slogan ambigu : « Votez pour Julius Polybius à la charge d'édile. Il offre du bon pain. »

DEUX PARVENUS : LES VETTII

Aulus Vettius Conviva et Aulus Vettius Restitutus, vraisemblablement unis par des liens d'étroite parenté, sont l'exemple le plus représentatif de ces nouveaux riches qui ont atteint des positions éminentes dans la société pompéienne. Nous ne savons pas grand-chose de ces deux hommes, probablement des affranchis, mais nous connaissons bien leur maison, la plus visitée de Pompéi, qui parle suffisamment d'eux et de leurs goûts. La maison des Vettii nous offre une vision précise des transformations qui s'opéraient alors dans la société pompéienne, et en même temps nous décrit fort bien cette classe de parvenus de la dernière heure formidablement caricaturée par Pétrone dans son *Satyricon* à travers le personnage de Trimalcion.

Les Vettii sont des commerçants, producteurs de vin ayant aussi d'autres sources de profit. Les attributs de Mercure et de la Fortune sont partout présents dans la décoration de la maison. À l'entrée, en guise de protection contre le *fascinum*, le mauvais œil, un Priape accueille le visiteur, son membre démesuré posé sur le plateau d'une balance qu'il rééquilibre de l'autre côté avec une bourse pleine de pièces de monnaie. Par terre est représenté un panier rempli de raisin et d'autres fruits symbolisant les richesses de la terre.

L'entrée de service de la vieille maison à double atrium de l'époque samnite a été murée pour édifier à l'étage des petits appartements destinés à la location. Près de la cuisine, une petite chambre sert à la prostitution. Euthichide, une esclave d'origine grecque née dans la maison, y prête ses services pour quelques pièces. Des graffitis à l'entrée vantent les charmes de la jeune

Page de gauche

En haut

Les amours orfèvres

Fresque du quatrième style.
Maison des Vettii, Pompéi.

En bas

Apollon et l'Omphale

Détail.
Fresque du quatrième style.
Maison des Vettii, Pompéi.

Pages suivantes

Architecture fantastique

Stuc polychrome du quatrième style. 167 x 180 cm.
Maison de Méléagre, Pompéi.
Naples, Mũseo Archeologico Nazionale.

Ci-contre

L'amour de Mars et Vénus

Fresque du troisième style.
253 x 150 cm.
Maison du Cithariste, Pompéi.
Naples, Museo Archeologico Nazionale.

Page de droite

Banquet avec courtisane

Fresque du quatrième style.
59 x 53 cm.
Herculanum.
Naples, Museo Archeologico Nazionale.

femme et ses prix. Le gain, quel qu'en soit l'origine, ne rebute pas les Vettii, qui tiennent cependant à apparaître comme des hommes cultivés, aux mœurs raffinées.

Il existe à Pompéi la tradition de présenter dans l'atrium une effigie des propriétaires, comme pour souhaiter la bienvenue aux visiteurs, qui remonte à l'époque hellénistique. On retrouve cet usage dans plusieurs maisons, dont la demeure patricienne de l'époque samnite attribuée à Paquius Proculus, un magistrat de la vieille aristocratie pompéienne. Le portrait présente le maître de maison et son épouse, l'un tenant dans la main droite un rouleau de papyrus, l'autre un stylet et une tablette de cire. Le message est très clair. Les propriétaires veulent donner d'eux l'image –

Prélude à l'amour

Fresque du quatrième style.
31 x 31 cm.
Maison de Méléagre, Pompéi.
Naples, Museo Archeologico
Nazionale.

probablement justifiée – de gens cultivés, maîtrisant l'écriture et lecteurs assidus d'œuvres littéraires.

Les Vettii se font, quant à eux, représenter dans l'atrium de leur maison ceints de la couronne de lauriers, comme s'ils étaient écrivains ou poètes. Sans doute savaient-ils, de même que le héros de Pétrone, Trimalcion le parvenu, mieux faire les comptes que tracer les lettres. Toute la décoration de leur maison tend à anoblir, dans une ambiance pédante et grandiloquente, une fortune amassée grâce au commerce. Tout là-dedans est farci de doctes scènes mythologiques, de héros, de muses, de portraits de poètes, de personnages, qui d'ailleurs ont indubitablement existé. De la même manière Trimalcion, durant son banquet auquel sont conviés les hommes de lettres, ornement de sa table, se piquera de distribuer ses jugements sur les poètes et les orateurs : il possède deux bibliothèques, l'une grecque l'autre latine, et soutient qu'il ne faut pas, même à table, négliger la culture. Aussi, toute occasion est bonne pour pérorer, mélangeant les situations, confondant les personnages des mythes qu'il raconte : Cassandre et Médée, Dédale et Épeus. Lorsqu'on observe dans la maison des Vettii les nombreuses peintures qui décorent les pièces selon un « programme » compliqué de scènes tirées de la mythologie et des tragédies, on peut aisément imaginer les Vettii en expliquant à tort et à travers le sens à leurs convives, et l'on ne peut s'empêcher de penser au personnage de Pétrone.

Mais c'est dans le décor du triclinium que la comparaison avec Trimalcion prend tout son sens. Il ne suffit pas d'étaler sa culture, encore faut-il que les interlocuteurs n'oublient pas la richesse qui a permis de l'acquérir. Ainsi, dans le triclinium des Vettii les convives pouvaient voir, représentées en une charmante frise agrémentée de petits amours, toutes les activités qui contribuaient à la richesse des maîtres des lieux. L'espace consacré à chacune d'entre elles était proportionnel à l'importance des bénéfices qu'elle produisait. Pour ne laisser aucun doute sur l'importance de leur fortune, deux coffres-forts trônaient au beau milieu de l'atrium, soutenus par des pieds, mais dont le fond reposait sur une plate-forme en maçonnerie pour éviter qu'il ne s'écroule sous le poids du contenu.

On peut voir en Trimalcion non seulement un portrait des Vettii, mais aussi l'incarnation de la mentalité grossière d'une classe sociale triomphante qui était à Pompéi identique par bien des aspects à celle décrite par Pétrone.

Satyre et Hermaphrodite

Fresque du troisième style.
51 x 56 cm.
Pompéi.
Naples, Museo Archeologico
Nazionale.

Scène érotique

Fresque. Ier s. apr. J. C.
41 x41 cm.
Pompéi.
Naples, Museo Archeologico
Nazionale.

IMAGES
DE LA VIE QUOTIDIENNE

Ci-dessus

Ibis

Fresque du quatrième style.
82 x 56,5 cm.
Temple d'Isis, Pompéi.
Naples, Museo Archeologico Nazionale.

Page de gauche

Paysage à la porte sacrée

Détail.
Fresque du quatrième style.
102 x 126 cm.
Temple d'Isis, Pompéi.
Naples, Museo Archeologico Nazionale.

La richesse exceptionnelle des informations fournies par cet ensemble absolument unique nous permet de connaître en détail non seulement l'histoire de la cité, mais surtout la vie quotidienne de ses habitants qui semblent vouloir se réveiller après un sommeil millénaire pour nous raconter de vive voix les passions, les espoirs, les aspirations, les tourments qui tissèrent la trame de leur vie. Combien de vicissitudes humaines sont ainsi remontées à la surface de la terre pompéienne, se frayant un chemin parmi les cendres et les lapilli, pour dévoiler les mœurs et les coutumes d'une société, certes différente de la nôtre, mais si proche par les problèmes que rencontraient les hommes ! Pour comprendre et partager leurs joies et leurs souffrances, il nous sufit de prêter attention aux cent facettes de la vie d'alors, telle qu'elle se déroulait il y a deux mille ans à l'ombre protectrice et menaçante du Vésuve.

RELIGION, MAGIE, SUPERSTITION

La religion officielle avait dans le monde romain un caractère essentiellement public et formel, qui concernait davantage le domaine politique que celui des sentiments personnels. C'était avant tout un rite social, aux règles immuables, une suite de formules et de gestes, à réciter et à accomplir scrupuleusement, sous peine de voir leur effet s'annuler. La prière se résumait à un vœu,

Ci-dessus

Temple d'Isis

Ier s. apr. J. C.
Pompéi.

Page de droite

Cérémonie dédiée au culte d'Isis

Fresque du quatrième style.
80 x 85 cm.
Herculanum.
Naples, Museo Archeologico Nazionale.

et l'offrande sacrificielle était un échange avec la divinité dans une circonstance déterminée. Le culte de la triade capitoline et le culte impérial avaient avant tout une fonction politique, celle de cohésion spirituelle entre les nombreuses cités et provinces qui formaient le monde romain.

La spéculation philosophique avait rendu les couches cultivées de la population pleinement conscientes de la supercherie que représentaient l'Olympe et ses divinités. L'engouement croissant pour les cultes venus d'Orient – celui de Sabazio, de Dionysos, de la Magna Mater – n'avait de ce point de vue rien d'étonnant. À Pompéi, à côté du culte de la Vénus Fisica, protectrice de la ville, qui incarnait l'ancienne divinité italique de la force vitale de la nature, de celui de Mercure, protecteur du commerce et des échanges, ou encore de celui de Dionysos-Bacchus, qui dispensait l'extase et le vin, on pratiquait le culte d'Isis. Parvenu en Campanie à travers les multiples échanges avec Alexandrie, ce culte égyptien touchait les cœurs et les esprits des gens attirés par les rites initiatiques ou cherchant une paix intérieure et une félicité éternelle après la mort. On trouve dans certaines riches demeures pompéiennes des chapelles et petits temples dédiés à Isis et à la puissante fratrie des Isiaci. Le temple de la déesse, érigé non loin du forum triangulaire, fut le seul monument restauré complètement après le tremblement de terre de 62.

La splendide villa des Mystères, qui déroule ses immenses peintures murales à thème dionysiaque, nous fournit, à travers les allégories du langage artistique, de nombreuses informations sur ce rite secret. En effet, à l'époque républicaine il était interdit de pratiquer ce culte et d'initier des adeptes aux mystères dionysiaques, mais ils continuèrent à être célébrés, surtout dans le secret des demeures aristocratiques.

Le culte domestique était pratiqué par tous. C'était le *pater familias*, dépositaire de la tradition liturgique de sa famille, qui officiait. On honorait les dieux lares, esprits des ancêtres, et les pénates, gardiens de l'harmonie de la vie familiale, et aussi le *genius* familial, la force vitale du chef de famille représentée sous l'apparence d'un serpent. Dans chaque maison, un laraire abritait les statuettes et les figures tutélaires de la famille. Avant d'aller dîner, on leur offrait des mets et des libations rituelles que l'on versait sur le foyer. Des cérémonies religieuses rassemblaient toute la maisonnée autour du laraire dans des circonstances telles que le mariage, la mort, la naissance.

Page de gauche

La déesse Isis reçoit Io à Canope en Égypte

Détail.
Fresque du quatrième style.
150 x 137,5 cm.
Temple d'Isis, Pompéi.
Naples, Museo Archeologico Nazionale.

Io donna naissance à Épaphos, fils de Zeus. Épaphos devint roi d'Égypte.

Ci-dessous

Tête de la déesse Isis

Marbre. Ier s. apr. J. C.
Hauteur : 30 cm.
Temple d'Isis, Pompéi.
Naples, Museo Archeologico Nazionale.

Page de droite

Le joueur de cithare

Fresque du troisième style.
56 x 60,5 cm.
Pompéi.
Naples, Museo Archeologico Nazionale.

Ci-dessous

Les filles de Leucippos jouant aux osselets

Peinture sur marbre d'Alexandros d'Athènes.
Début du Ier s. apr. J. C.
42 x 89 cm.
Herculanum.
Naples, Museo Archeologico Nazionale.

Plus encore peut-être que la religion, la superstition exerçait une forte ascendance sur les âmes, particulièrement dans les milieux les plus pauvres. La croyance en le *fascinum*, l'influence maléfique des regards envieux, était partout répandue et incitait, dans les couches aisées, à recourir à des remèdes destinés aussi bien à prévenir le mal qu'à le détourner vers quelqu'un d'autre. Les *oscilla*, des sculptures en marbre représentant des masques et servant à éloigner le fascinum, étaient suspendues entre les colonnes du péristyle, comme dans la maison des Amours dorés. Des *bullae*, médaillons, souvent en or, étaient attachées au cou des enfants. Mais c'était surtout le phallus, habituellement sculpté en ronde-bosse et placé à l'entrée des maisons et des boutiques, qui était l'amulette protectrice la plus prisée dans les couches populaires, car elle représentait la force originelle et positive de la nature et était censée avoir le pouvoir de repousser les influences maléfiques. D'autres maisons étaient placées sous la protection d'Hercule, le « bon dieu », ou de la Félicité.

Les Pompéiens avaient aussi recours à la magie : on a retrouvé des pots servant à la préparation des philtres et des potions magiques ainsi que des *defixiones*, lamelles de bois traversées d'un clou, enterrées avec le nom de la personne que l'on vouait aux enfers.

PROPAGANDE ÉLECTORALE

Chaque année au mois de mars toute la cité s'enflammait pour la bataille électorale que se livraient les prétendants aux magistratures municipales. Après que le sénat s'était assuré qu'ils possédaient effectivement la fortune requise pour être éligible, les candidats – ainsi appelés parce qu'ils portaient une toge « candida », c'est-à-dire d'une blancheur immaculée, symbole de la transparence de leur propre vie – se présentaient devant le peuple au forum et exposaient du haut du *suggestum*, la tribune des orateurs, leur programme politique. Chaque année deux duumvirs et deux édiles étaient élus : les premiers remplissaient les fonctions de maire, gardaient le trésor et administraient la justice ; les seconds géraient les finances publiques. Seuls votaient les citoyens libres, majeurs, de sexe masculin ; mais toute la population active, y compris les femmes et les esclaves, participait à la compétition, prenant position pour tel ou tel autre des candidats. Tous les coups étaient permis, et les murs de la ville se couvraient d'affiches, rédigées parfois par de simples citoyens qui y proclamaient

Les musiciens

Détails.
Mosaïque du premier style. Œuvre de Dioscourides de Samos. 43 x 41 cm.
Villa de Cicéron, Pompéi.
Naples, Museo Archeologico Nazionale.

L'Acteur-roi

Fresque du troisième style.
39 x 39 cm.
Herculanum.
Naples, Museo Archeologico
Nazionale.

Page de droite

**Scène de comédie :
consultation d'une magicienne**

Mosaïque du premier style.
42 x 35 cm.
Maison de Cicéron, Pompéi.
Naples, Museo Archeologico
Nazionale.

ΔΙΟΣΚΟΥΡΙΔΗΣ ΣΑΜΙΟΣ ΕΠΟΙΗΣΕ

Pain, noix, olives conservés par les cendres de l'éruption du Vésuve

79 apr. J. C.
Pompéi.
Naples, Museo Archeologico Nazionale.

leur préférence lorsque, grâce à des accords préélectoraux, deux candidats à la même charge avaient présenté un programme commun et formé une alliance électorale. Les candidats et leurs partisans comptaient effectivement sur ce genre d'initiatives pour rassembler sous leur nom les électeurs potentiels qu'ils invitaient à adhérer à leur cause à coups d'arguments bien ciblés, tel le rappel des bénéfices obtenus ou les promesses pour l'avenir.

Les affiches vantaient généralement les qualités morales des futurs magistrats ou rappelaient leurs mérites et les tâches accomplies. On trouvait aussi de nombreux tracts contestataires, comme ceux que les habitants de la circonscription du forum avaient placardés, se déclarant opposés à l'élection d'un certain Cerrinius Vatia. Pour discréditer les adversaires, ces affiches prétendaient que leurs partisans étaient tour à tour des « abrutis de sommeil », des « débauchés noctambules », des « voleurs de poules », des « esclaves en fuite », voire même des « tueurs ». On ne reculait pas devant la vengeance personnelle ; ainsi une inscription en vers n'hésite pas à dénoncer avec une subtile ironie l'homosexualité et l'exhibitionnisme de Paquius Proculus, élu avec un large consensus, ou son mépris des électeurs : « Le troupeau bêlant a élu Procula édile. Pourtant cela exigeait la dignité des probes et le respect de la charge. »

Les élus devaient financer sur leurs fonds personnels une construction publique ou organiser des jeux et, bien sûr, payer de leur poche l'équipe indispensable pour faire fonctionner l'appareil administratif de la cité. En contrepartie, ils étaient admis, après un an de mandat, à faire partie à vie de l'ordre des décurions, c'est-à-dire du sénat de la ville, centre effectif du pouvoir qui contrôlait l'administration et où avaient lieu les délibérations. Les membres de ce conseil jouissaient de privilèges particuliers, tant formels – les meilleures places leur étaient réservées pour les spectacles de théâtre – que matériels – le droit de bénéficier gratuitement dans leur maison de l'eau courante et de se réserver les parts les plus substantielles lors des distributions de dons. Enfin, ils ne pouvaient être condamnés à des peines infamantes.

JEUX ET SPECTACLES

Le grand nombre de gens pauvres ou aux faibles ressources obligeait les magistrats à prévoir diverses valves de sécurité pour

Vendeur de pain

Fresque. Ier s. apr. J. C. 62 x 53 cm.
Maison du Boulanger, Pompéi.
Naples, Museo Archeologico
Nazionale.

éviter que de trop fortes tensions sociales mettent la société en péril. Les jeux et les spectacles répondaient dans une large mesure à ce besoin. Les magistrats élus devaient par décret offrir des jeux à la population ou financer une construction publique, ce qui tendrait à démontrer que les jeux étaient considérés comme une nécessité collective. Sur les inscriptions funéraires de certains dignitaires pompéiens il est fait mention, avec un soin tout particulier, de la magnificence des jeux qu'ils organisèrent. De même, des graffitis attestent l'enthousiasme de la population envers ceux qui organisaient les spectacles de gladiateurs. Il n'est pas rare de trouver parmi les graffitis de petites silhouettes de gladiateurs avec leurs noms et leurs victoires ou les résultats des jeux, telle une chronique sportive en images. On a également retrouvé de nombreuses annonces de spectacles à l'amphithéâtre, à Pompéi ou dans des cités voisines, ce qui laisse supposer qu'ils étaient suivis par des supporters qui se déplaçaient de ville en ville pour soutenir leurs favoris. Ces annonces mentionnaient les couples de gladiateurs qui devaient s'affronter, mais aussi des combats contre des animaux sauvages, et précisaient qu'une toile de lin serait tendue au-dessus de la cavea pour protéger les spectateurs des ardeurs du soleil. Les gladiateurs, adulés par la foule, avaient un succès particulier auprès des femmes, et il n'était pas rare qu'ils se vantent sur les murs des victoires remportées non pas dans l'arène, mais dans les cœurs.

Les acteurs de théâtre, en particulier les pantomimes, étaient eux aussi de véritables stars. À Pompéi, outre les noms de divers acteurs et chansonniers, généralement des affranchis, on lit les graffitis des « paridiani », fans de l'acteur Paride, un monstre sacré de la scène. Le rigorisme formel des Romains explique sans doute le fait qu'une loi obligeait les théâtres à tenir de longues et minutieuses listes afin d'assurer la distribution des places par catégorie lors des spectacles. L'autorisation de s'asseoir dans la *proedria* était un privilège extrêmement prisé, réservé, par exemple, aux décurions, qui ne pouvait s'obtenir que par décret, et beaucoup dépensaient des sommes considérables pour y accéder. C'était une des manifestations publiques et une marque de reconnaissance officielle de la situation hiérarchique élevée des personnalités qui en bénéficiaient.

Pompéi s'enthousiasmait aussi pour ses *pilicrepi*, les joueurs de balle qui s'exhibaient dans les gymnases près des thermes. Il exis-

Moulins à grains

Ier s. apr. J. C.
Boulangerie de Popidius Priscus, Pompéi.

Les pierres à moudre, en basalte de Roccamonfina, étaient formées d'un élément biconique en forme de clepsydre qui tournait au-dessus d'un bloc cônique fixe. Le grain placé dans la cavité supérieure était écrasé par le frottement de la pierre et se transformait en farine, recueillie alors à la base.

Nature morte au compotier

Détail.
Fresque du quatrième style.
74 x 234 cm.
Maison de Julia Felix, Pompéi.
Naples, Museo Archeologico
Nazionale.

tait également une sorte de jeu d'échecs, les *latrunculi*, des jeux d'astragale et des dés, jeu de hasard le plus populaire. Une inscription rappelle un gain important obtenu à Nocera par un homme de Pompéi. Celui-ci tient à préciser qu'il n'avait pas lésiné pour parvenir à ce résultat, nous informant implicitement sur les activités de nombreuses tavernes qui servaient de salles de jeux. On a même retrouvé des dés truqués, alourdis par du plomb coulé à l'intérieur.

METS ET BOISSONS

Le déjeuner complet, « de l'œuf à la pomme », n'était servi qu'à l'occasion des banquets qui se déroulaient à la nuit tombée dans les luxueux tricliniums à la lumière des flambeaux. Après les entrées et avant les desserts, composés de nombreux gâteaux et de fruits, étaient servis divers plats de viande et de poisson. Les viandes les plus populaires étaient celles des volailles, des ovins, des porcs. Le gibier était également très apprécié : lièvres, cerfs, faisans, sangliers foisonnaient dans les forêts au pied du Vésuve. Les viandes étaient bouillies, braisées ou rôties, et presque toujours farcies. On a retrouvé dans les cuisines pompéiennes divers os d'animaux, restés dans des casseroles ou sous la braise. Souvent épicées, les viandes étaient systématiquement accompagnées de *garum*, une saumure de petits poissons mis à fermenter au soleil, puis passés au tamis, qui donnait une sauce salée fortement aromatique.

Nature morte au lapin avec fruits et oiseaux
Détail.
Fresque du quatrième style.
41 x 129 cm.
Herculanum.
Naples, Museo Archeologico Nazionale.

Les poissons – dont certains à chair fine, comme la sole ou la murène – et les crustacés figuraient très couramment sur les tables pompéiennes. Dans les entrepôts près du port ont été découverts de nombreux ustensiles de pêche. Les fruits de mer, en particulier les palourdes et les coques, étaient présentées comme amuse-gueule. On les consommait en se promenant dans les allées du jardin, ainsi que le montrent les coquilles retrouvées un peu partout le long des massifs lors d'une fouille récente.

Un propriétaire qui recevait fréquemment des amis crut bien faire en faisant inscrire sur les murs de son triclinium quelques recommandations :

« Avec l'eau, lave-toi les pieds, un serviteur viendra ensuite les essuyer. Recouvre ta couche d'une serviette et prend soin de ne pas tacher notre nappe de lin. » « Évite de lutiner la femme d'un autre et de lui faire les yeux doux. Veille à ce que ton langage reste respectueux et décent. » « Abstiens-toi de contredire ton voisin et renonce aux disputes détestables. Si tu peux. Sinon sors et rentre chez toi. »

Hors des banquets, le repas était généralement frugal, composé d'une entrée et d'un plat. Les choux, les oignons et l'ail de la région étaient renommés et abondamment cultivés. Le petit déjeuner, très simple, consistait en un peu de pain et de fromage ou en quelques restes de la veille. Au cours de la journée on mangeait le plus souvent dehors, dans une des nombreuses gargotes qui proposaient des en-cas – saucisses ou poisson frit. On pouvait aussi acheter aux vendeurs ambulants des beignets, des galettes ou des gâteaux, tous fabriqués avec du miel. Pour cuire les aliments on utilisait le lard et l'huile.

En l'absence de thé, de café et d'alcools forts, la seule boisson délassante était le vin, qui, selon les moments de la journée, était plus ou moins coupé d'eau. En hiver, il était servi chaud ; en été, on le rafraîchissait avec de la neige ramassée sur les montagnes et conservée au fond des fosses creusées dans la terre. Ces glacières étaient toutefois un privilège rare. La boisson était sucrée avec du miel. On pouvait acheter du vin doux, « vin de paille », ou du vin résiné. On distinguait diverses qualités de vin en fonction des cépages dont ils étaient issus. Le vin de Pompéi, s'il contribuait à l'enrichissement de la cité et alimentait les exportations, avait la réputation de mal supporter un vieillissement prolongé, ce qui le dépréciait fortement.

Ci-dessus

Nature morte à l'oiseau avec champignons

Détail.
Fresque du quatrième style.
37 x 154 cm.
Herculanum.
Naples, Museo Archeologico Nazionale.

Page de droite

Nature morte aux poissons

Fresque du quatrième style.
37 x 43 cm.
Pompéi.
Naples, Museo Archeologico Nazionale.

AMOUR, VICE ET VERTU

Pompéi est une ville consacrée à Vénus ; et l'amour y est chanté, pratiqué, célébré sous toutes ses formes. Aux nombreuses peintures, qui sur les murs des alcôves illustrent les plaisirs de l'étreinte amoureuse, se mêlent les mots d'amour que sur les murs des maisons, messagers immobiles, s'échangent fébrilement les futurs amants. Des poètes improvisés confient à des vers intemporels l'exaltation de la femme aimée ou le désespoir d'un amour tourmenté, suscitant le commentaire et la solidarité des passants qui les lisent et les méditent.

La jalousie, sentiment éternel, pointe son nez sur les parois couvertes de graffitis. Tantôt on se moque du cocu, tantôt on le plaint ; parfois lui-même se creuse la tête à la recherche d'une

Ci-dessus

Lampe à huile

Terre cuite. Ier s. apr. J. C.
Hauteur : 7 cm.
Pompéi.
Naples, Museo Archeologico
Nazionale.

Page de droite

Tintinnabulum

Bronze. Ier s. apr. J. C.
Longueur : 21 cm.
Herculanum.
Naples, Museo Archeologico
Nazionale.

Le *tintinabulum* servait à éloigner les esprits malfaisants par le son des clochettes. Il était suspendu à l'entrée des maisons ou des boutiques. Le phallus, emblème de bon augure, avait pour fonction de détourner le mauvais œil vers d'autres personnes.

solution à son malheur ; là, deux hommes sont prêts à se battre pour les faveurs d'une servante d'auberge ; ailleurs, des femmes, novices ou au contraire initiées, se déclarent méfiantes face aux propositions audacieuses. D'autres, plutôt expertes en la matière, énoncent sans retenue leurs exigences, manifestent leur satisfaction après l'amour ou leur déception lorsqu'une aventure n'a pas tenu ses promesses. Des matrones du meilleur monde ne cachent pas leur passion pour les gladiateurs.

Tout se pratique, mais rien n'a la saveur du vice. L'homosexualité masculine ou féminine est chose courante ; la pédophilie est acceptée comme chose tout à fait normale. Des rencontres à trois ou quatre sont également proposées. À l'entrée d'auberges spécialisées, des hommes incitent les entraîneuses à se dévêtir pour montrer leurs charmes. Un homme plus âgé déclare chercher une compagne pour les années à venir, espérant pouvoir encore la satisfaire. Dans les maisons des esclaves, garçons et filles sont la proie habituelle et facile des patrons et de leurs proches. Au-delà des portes de la ville, des prostituées aguichent les passants qu'elles entraînent derrière les monuments funéraires jalonnant la route. D'autres offrent leur corps dans des bordels pour quelques pièces, le prix d'un pain ou d'un pichet de vin, au bénéfice exclusif de leurs patrons. Les dames de l'aristocratie cèdent aussi à l'attrait de l'argent – là, il s'agit naturellement de sommes bien plus importantes – tandis que des femmes d'une grande beauté, élégantes et cultivées, hantent le sommeil de riches Pompéiens. Les hommes aussi se prostituent ; on trouve l'inscription d'un gigolo qui se déclare disponible même pour les vierges.

Une humanité très variée se manifeste sur les murs de Pompéi, nous dévoilant les noms, les amours, les aventures et les malheurs de centaines de personnes. Nous voyons défiler devant nos yeux les cortèges nuptiaux, et les vœux de prospérité que lancent les invités résonnent à nos oreilles lorsque nous lisons les avis de mariage et les souhaits de bonheur adressés aux nouveaux époux.

Mais l'amour est un sentiment durable, et nombreuses sont les inscriptions vantant modération et fidélité, le rythme serein de la vie à deux, comme les deux noms gravés côte à côte sur les montants du lit conjugal. Pompéi est aussi cela : le battement ininterrompu du pouls de la vie quotidienne, un cœur vieux de deux mille ans, dont l'écho fragile et entêté continue à nous troubler et à nous émouvoir.

Pages suivantes

À gauche

Lampes à huile priapique

Terre cuite. Ier s. apr. J. C.
Hauteur : 11,6 cm.
Pompéi.
Naples, Museo Archeologico Nazionale.

Priape, fils de Dionysos et d'Aphrodite, est la divinité de la fécondité.

Au centre

Petites coupes phalliques

Terre cuite. Ier s. apr. J. C.
Hauteur : 9,5 cm.
Pompéi.
Naples, Museo Archeologico Nazionale.

Marchands de fougaces

Bronze et argent. Ier s. apr. J. C.
Hauteur : 25,4 cm.
Maison de l'Éphèbe, Pompéi.
Naples, Museo Archeologico Nazionale.

À droite

Lampe à huile priapique

Bronze. Ier s. apr. J. C.
Hauteur : 22 cm.
Pompéi.
Naples, Museo Archeologico Nazionale.

CONCLUSION

Paquius Proculus et sa femme

Fresque du quatrième style.
65 x 58 cm.
Maison VII, 2, 6, Pompéi.
Naples, Museo Archeologico Nazionale.

Depuis le XVIIIe siècle, les ruines de Pompéi interpellent avec force la culture et les goûts du monde occidental. Poètes, écrivains, voyageurs célèbres, photographes, peintres, graveurs, musiciens, cinéastes se sont émus et passionnés face au destin de la ville, captant dans leurs œuvres l'atmosphère envoûtante qui s'empare de l'esprit au contact de ses ruines.

Les vestiges mis au jour, le fameux rouge des peintures, les grotesques des décorations, le mobilier des maisons exercent une grande influence sur le goût à l'époque moderne constituant un point de référence dans l'évocation du passé. Lorsque l'on parcourt les rues de la cité et que l'on pénètre dans les maisons, les boutiques, les ateliers d'artisans, on est envahi de stupeur et d'admiration devant la richesse de cette civilisation, et l'on éprouve quelque mélancolie face à l'éphémère et à la précarité des choses.

Pourtant Pompéi ne nous a pas donné d'imposants monuments qui, comme les pyramides d'Égypte ou les temples grecs, défient fièrement les siècles, ni d'immenses chefs-d'œuvre artistiques. La cité blottie au pied du Vésuve nous a montré d'humbles échoppes et des maisons grandes et petites, en perpétuelle transformation, des objets de la vie quotidienne et un mobilier prétentieux. Mais derrière ces murs et ces choses ordinaires, elle nous transmet de manière directe et vivante l'esprit de toute une société qui se révèle clairement et sans réserve. Pompéi nous a peut-être aussi

Ci-dessus

Ménade et satyre dansant

Marqueterie de marbres polychromes.
Ier s. apr. J. C. 23 x 67 cm.
Maison VII, 4, 31-51, Pompéi.
Naples, Museo Archeologico Nazionale.

Page de droite

Architecture avec colonne et porte

Détail.
Fresque du deuxième style.
Panneau central, 337 x 169 cm.
Villa de Fannius Sinistor, Boscoreale.
Naples, Museo Archeologico Nazionale.

donné quelque chose de plus : le sentiment d'une humanité inlassablement à la recherche d'elle-même, qui à toutes les époques de son histoire se débat dans les mêmes problèmes, les mêmes ambitions, le même désir d'affirmation de soi.

Pompéi a un seul interlocuteur : l'homme. Celui d'hier se présente nu, sans mystère, à la compréhenson des modernes. Celui d'aujourd'hui, l'observant dans sa dimension universelle et détachée dans laquelle l'Antiquité le projette par magie, a ainsi matière à méditer sur lui-même, sur ses sentiments et sur ses passions, inévitablement tributaires des événements passés. Mais entre les deux hommes il n'y a guère de différence. L'expérience de la vie reste la même au-delà du temps : la forme de la maison et les circonstances dans lesquelles elle se construit changent, mais pas le sentiment de l'homme qui l'habite.

« Rien de nouveau sous le soleil », proclamait-on, voici déjà plus de deux millénaires. Le miracle de la découverte de Pompéi a été de nous faire toucher du doigt l'existence quotidienne de l'homme de l'Antiquité. Inexorablement *idem et alius*, identique et différent, malgré le temps qui passe, tel est le message que Pompéi nous transmet, portant à la connaissance de notre époque le flux infini de la vie.

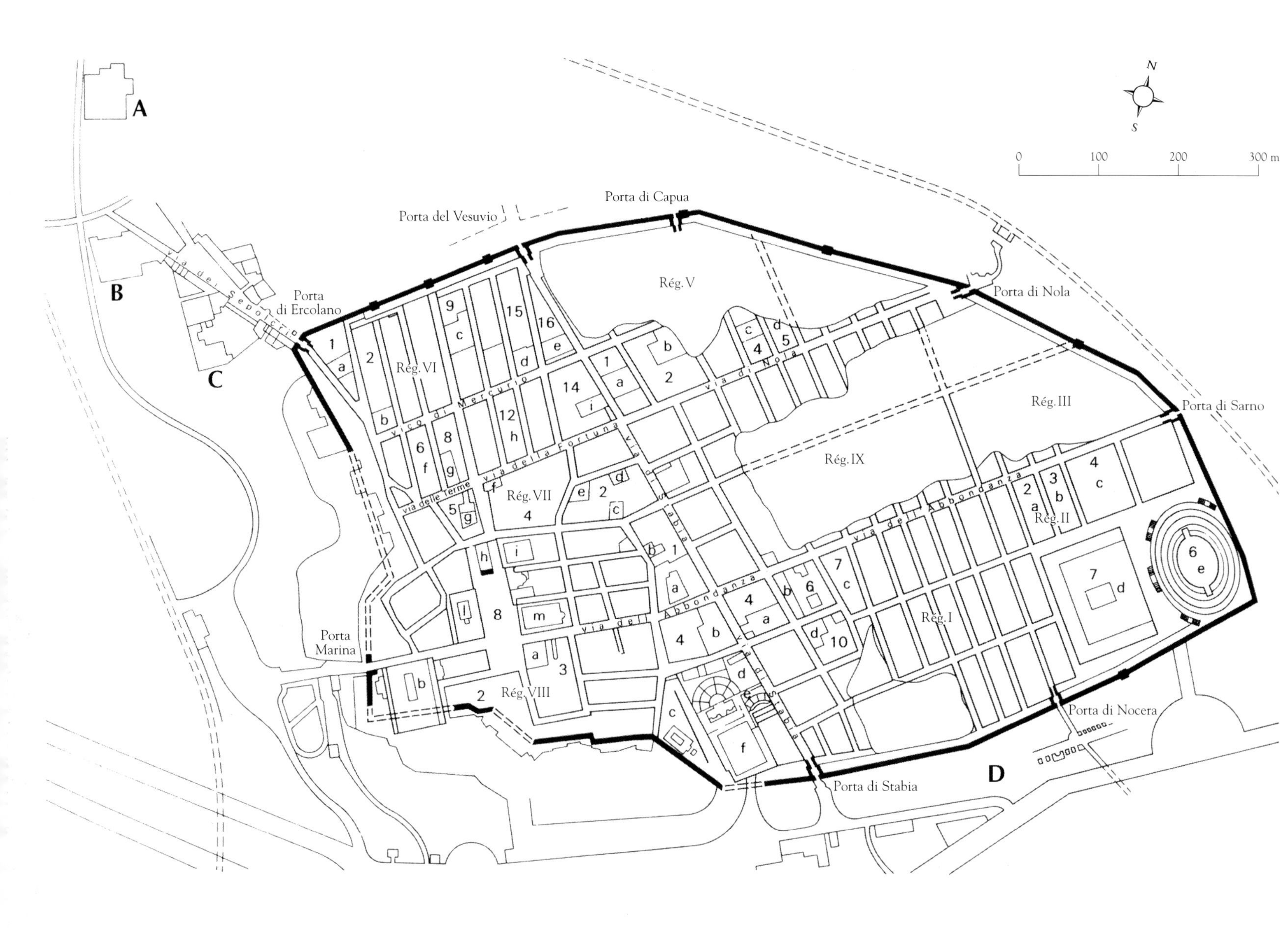

Rég. I

4, a	maison du Cithariste
6, b	maison du Criptoportique
7, c	maison de Paquius Proculus
10, d	maison de Ménandre

Rég. II

2, a	maison de Loreius Tiburtinus
3, b	maison de la Vénus
4, c	maison de Julia Felix
6, e	amphithéâtre
7, d	palestre

Rég. V

1, a	maison de Cæcilius Jucundus
2, b	maison des Noces d'argent
4, c	maison de M. L. Fronto
5, d	maison des Gladiateurs

Rég. VI

1, a	maison du Chirurgien
2, b	maison de Salluste
6, f	maison de Pansa
8, g	maison du Poète tragique
9, c	maison de Méléagre
12, h	maison du Faune
14, i	maison d'Orphée
15, d	maison des Vettii
16, e	maison des Amours dorés

Rég. VII

1, a	thermes stabiens
1, b	auberge de Sittius
2, c	maison de l'Ours
2, d	maison de Gaius Rufus
2, e	fours
4, f	temple de la Fortune
5, g	thermes du forum
8	forum
8, h	temple de Jupiter
8, i	marché (macellum)
8, l	temple d'Apollon
8, m	édifice d'Eumachie

Rég. VIII

2, b	temple de Vénus
3, a	comices
4, b	maison de Cornelius Rufus
4, c	forum triangulaire
4, d	grand théâtre
4, e	odéon
4, f	caserne des gladiateurs

A	villa des Mystères
B	villa de Diomède
C	villa de Cicéron
D	nécropole

SE RETROUVER DANS L'ANTIQUE POMPÉI

Un étranger qui, dans la ville antique de Pompéi, aurait eu à retrouver quelqu'un, n'aurait pu connaître ses coordonnées que de manière indirecte, c'est-à-dire en demandant au voisinage où se trouvait sa maison.

Dans l'Antiquité, les adresses n'étaient que sommairement indiquées, selon des paramètres très approximatifs, comme le lieu public le plus proche ou le nom du quartier.

Une inscription sur un mur de Pompéi porte l'adresse d'une dame de Nocera qui avait à Pompéi brisé bien des cœurs et dont le nom courait de bouche en bouche : « À Nocera, tu demanderas Novella Primigenia, près de la Porte Romaine, dans le quartier de Vénus. » De telles coordonnées obligeaient le visiteur à s'informer auprès des voisins. Les gens vivaient alors dans une étroite promiscuité et tous se connaissaient au moins de vue et de nom. Il n'était donc pas difficile de retrouver quelqu'un. Les relations de voisinage qui, nous l'avons vu, jouaient un rôle essentiel dans les campagnes électorales et la propagande politique unissaient par des liens extrêmement forts les membres d'une communauté. Elles donnaient lieu à des échanges spontanés de services de toutes sortes et procuraient à tous un sentiment de sécurité et de solidarité, selon des règles non écrites, mais solidement enracinées dans le corps social.

Les inscriptions pompéiennes nous ont transmis le nom de deux des portes de la cité, la porte Salina et la porte Urbulana,

Procession avec brancard

Fresque. Ier s. apr. J. C.
66 x 75 cm.
Façade de l'atelier VI, 7, 8, Pompéi.
Naples, Museo Archeologico Nazionale.

de quelques rues et de certains bâtiments, mais surtout des divers quartiers. C'étaient aussi des circonscriptions administratives, d'une importance capitale en période électorale. À Pompéi, le nom des quartiers est lié à leur situation topographique : les *Urbulanenses* habitent le quartier situé près de la porte Urbulana (qui aujourd'hui s'appelle Porta Sarno), les *Salinienses* sont près de la porte Salina (Porta Ercolano), les *Campanienses* sont proches de la porte de Capoue (rebaptisée Porta di Nola), les *Forenses* sont proches du forum ou de la porte Forense (aujourd'hui Porta Marina). Les *Pagani* étaient les habitants de Pagus Augustus Felix Suburbanus, un faubourg situé au-delà des remparts.

Les nécessités scientifiques modernes ont conduit au XIXe siècle Giuseppe Fiorelli à subdiviser Pompéi en neuf quartiers, ou *regiones*, chacun comprenant plusieurs *insulae*, c'est-à-dire des blocs de bâtiments délimités sur tous les côtés par des rues (à l'exception de l'*insula occidentalis)*, numérotées au fur et à mesure de leur mise au jour. À l'intérieur de ces blocs, les habitations sont elles aussi numérotées. Lorsque le bloc n'a pas été entièrement dégagé, et n'a donc pas un chiffre définitif, les habitations sont indiquées par une lettre de l'alphabet. L'indication : VII, 4, 48, signifie que la maison se situe au n°48 du bloc 4 de la région VII.

Les noms donnés à l'époque moderne aux maisons et villas ne se réfèrent que rarement à leur propriétaire (maison des Vettii, maison de Lucretius Fronto), qui, d'ailleurs, n'est pas toujours identifié avec certitude. Plus souvent ils évoquent des découvertes propres à ce lieu (maison du Faune, de l'Éphèbe, de la Statuette indienne, etc.) ou des événements liés au moment où elles furent dégagées (maison du Centenaire, des Noces d'argent), ou encore ils précisent leurs caractéristiques architecturales ou décoratives (maison du Cénacle à colonnes, des Quatre styles, etc.) ; enfin, ils rappellent la présence de tableaux ou de portraits : maison de Ménandre, d'Orphée).

POMPÉI : UN PATRIMOINE À PROTÉGER

Pompéi est un organisme vivant, non seulement parce que dans ses rues bat encore le cœur de la vie du monde antique, mais aussi parce que la cité a commencé dans les temps modernes une nouvelle existence. À Pompéi travaillent chaque jour des centaines de personnes pour assurer les fouilles, la conservation, la maintenance, la restauration, l'administration, et permettre chaque année à plus d'un million et demi de personnes de visiter le site.

Mais elle est aussi un organisme très délicat, très étendu, qui requiert l'intervention de spécialistes et de techniques très spécifiques.

La cité ne fut pas édifiée dans l'intention de défier les siècles. Les maisons étaient construites avec des matériaux pauvres, elles subissaient périodiquement des transformations, et les peintures étaient rénovées à peu près à chaque génération. Nous avons aujourd'hui la tâche ardue de conserver ces vestiges précaires le plus longtemps possible sans les dévitaliser en les isolant de leur contexte.

Actuellement, surtout après le tremblement de terre de 1980 qui provoqua de lourds dégâts, le travail de conservation prédomine nettement sur celui des fouilles. Il ne s'agit pas tant de conserver et de restaurer des édifices particuliers que des quartiers entiers, en prenant en compte à la fois la structure archi-

Scène sur le Nil

Fresque du quatrième style.
75 x 127 cm.
Péristyle de la maison VIII, 5, 24, Pompéi.
Naples, Museo Archeologico Nazionale.

Les scènes des bords du Nil, très fréquentes dans la peinture pompéienne, ont parfois des intentions caricaturales.

tecturale, la décoration, les jardins. Le programme d'investigation a été mis en œuvre à partir des blocs d'habitation de la zone sud-est de la ville. Mis au jour dans les années 50, ils n'ont fait l'objet que d'études scientifiques partielles et sont aussi les moins connus du public, bien qu'ils soient d'une importance déterminante pour la compréhension de la topographie de tout l'ensemble urbain.

La fouille archéologique est aujourd'hui un véritable travail de laboratoire. L'archéologue s'entoure de scientifiques pour comprendre plus précisément la réalité qu'il découvre. Ainsi on analyse des petits fragments de charbon pour identifier le type de bois employé pour les charpentes, ou les résidus de substances restées au fond des pots pour établir exactement ce qu'ils contenaient ; on prend des empreintes des trous laissés par les racines et l'on recherche les traces de pollen dans les jardins pour savoir quelles plantes on y faisait pousser et comment elles étaient disposées ; on étudie les ossements humains pour déterminer divers types d'alimentation et la diffusion des pathologies ; on essaie de reconstituer patiemment, à travers les ossements d'animaux, les résidus alimentaires et d'autres éléments longtemps considérés comme sans importance, le paysage agraire le long de la rivière Sarno et l'habitat au pied du Vésuve ; on expertise tout ce qui permet de reconstituer le mode de vie de l'époque.

Nature morte aux pêches
Détail.
Fresque du quatrième style.
33 x 119 cm.
Pompéi.
Naples, Museo Archeologico Nazionale.

Avec l'aide de l'informatique, et en employant des méthodes de recherche et d'évaluation rigoureuses, on étudie les relations entre la décoration des parois et celle des sols ou entre les choix picturaux et la destination des pièces décorées. Sont également analysées les relations entre les dimensions des pièces d'une maison et le type auquel celles-ci correspondent ; les études comparées des matériaux employés en fonction des divers usages permettent peu à peu de donner vie à un tableau détaillé des caractéristiques socio-économiques de toutes les strates de population et de leur répartition selon les quartiers.

Connaître Pompéi, la comprendre dans son essence, analyser ses composantes, la préserver comme un corps fragile, en transmettre le message pour perpétuer son existence, tout cela est un acte d'amour, un devoir de l'homme d'aujourd'hui, non seulement envers celui d'hier, mais surtout envers celui de demain.

GLOSSAIRE

Alae : pièces de séjour ouvertes sur l'atrium de chaque coté du *tablinum*.
Atriensis : le gardien de la maison qui surveillait l'entrée.
Bulla : amulette que les enfants portaient au cou.
Calidarium : dans les installations thermales, salle chauffée destinée aux bains chauds.
Capitolium : temple de la cité romaine dédié à Jupiter, à Junon et à Minerve.
Cardo : route qui traversait la ville romaine du nord au sud.
Cartibulum : table de marbre placée près de l'*impluvium*.
Caupona : auberge.
Cavea : partie d'un amphithéâtre, d'un théâtre antique occupée par les gradins.
Cella : lieu du temple où se tenait la statue du dieu.
Cenaculum : petit appartement situé à l'étage.
Clientes : personnes ayant avec une famille patricienne des relations subalternes.
Compluvium : espace ouvert laissé dans le toit d'un atrium pour permettre à l'eau de pluie de tomber dans l'*impluvium*.
Décurions : membres du sénat de la cité.
Diaeta : agréable lieu de séjour.
Dominus : maître de maison.
Doryphore : mot grec désignant un soldat armé d'une lance.
Euripe : mot grec désignant un petit canal qui traversait les jardins.
Exèdre : salon en plein air, doté d'une abside, destiné à la conversation.
Familia : ensemble comprenant les membres d'une famille et les domestiques, réunis sous l'autorité du *dominus*.
Fascinum : mauvais œil.
Frigidarium : salle thermale destinée aux bains froids.
Genius : force surnaturelle présente en chaque être humain, dans les choses, dans les lieux et même dans les actions.
Gens : ensemble des personnes provenant d'une même souche familiale.
Grotesques : motis décoratifs finement peints, avec petits personnages fantastiques, rinceaux et volutes.
Gymnasium : salle de sport.
Impluvium : bassin situé dans l'atrium au-dessous du *compluvium*, pour recueillir l'eau de pluie, qui s'écoulait ensuite dans une citerne.
Insula : bloc de maisons.
Lapilli : petites pierres poreuses projetées par les volcans en éruption.
Lychnophoroi : statues de bronze utilisées comme porte-flambeaux.
Macellum : marché.
Magister : notable chargé d'administrer un quartier.
Negotiator : négociant, homme d'affaires, armateur.
Negotium : : négoce, affaire, charge civique ou politique.
Nymphée : pièce ou grotte dédiée aux nymphes. Fontaine monumentale avec des niches en forme de grottes.
Oecus : salon de réception.
Opus vermiculatum : mosaïque à motif figuratif ou géométrique composée de minuscules tesselles polychromes.
Opus sectile : décoration figurative ou géométrique composée le plus souvent de tesselles de marbre de diverses couleurs.
Oscillum : masque sculpté en marbre que l'on suspendait et que l'on faisait se balancer pour éloigner le *fascinum*.
Otium : toute activité qui ne concerne pas les affaires ou les charges politiques : l'étude, la méditation, la conversation, l'écriture.
Paradeisos : mot grec désignant un jardin peuplé d'animaux sauvages.
Parasta : pilastre, colonne adossé à un mur.
Pergula : soupente ou mezzanine.
Pictor imaginarius : peintre spécialisé dans les parties figuratives.
Pilicrepi : joueurs de balle.
Protome : haut- ou bas-relief représentant la partie antérieure d'un animal.
Prodigium : événement prodigieux et monstrueux à la fois.
Proedria : partie inférieure de la *cavea* du théâtre, où prenaient place les riches et les notables.
Regio : région, mais aussi quartier d'une ville.
Scutulatum : sol pavé avec des motifs de cubes à effet de perspective.
Stibadium : *triclinium* de plein air.
Suggestum : tribune des orateurs.
Surges : mot anglo-saxon désignant des émanations de gaz volcaniques à très haute température.
Taberna : boutique ouverte sur la rue avec un large éventaire.
Tablinum : pièce de l'atrium située dans l'axe de l'entrée.
Tabula picta : tableau de chevalet.
Télamon : figure virile utilisée comme ornement architectural et soutenant des corniches et des travées.
Tepidarium : pièce d'une installation thermale, modérément chauffée, dans laquelle on pouvait s'acclimater avant de passer dans le *calidarium* ou le *frigidarium*.
Thermopolium : buvette où l'on pouvait acheter des boissons chaudes et des casse-croûte.
Triclinium : salle à manger dotée de lits où l'on mangeait couché.

BIBLIOGRAPHIE

Il existe une très vaste bibliographie sur Pompéi, rassemblée dans :

H. B. VAN DER POEL, *Corpus topographicum Pompeianum. Pars IV : Bibliography*, Rome 1977. Une mise à jour effectuée par J. de Waele, comprenant une bibliographie thématique établie par A. Varone, est à paraître prochainement.

AA. VV., *La regione sotterrata dal Vesuvio. Studi e prospettive*, Naples 1982.

J. P. ADAM, *Dégradation et restauration de l'architecture pompéienne*, Paris 1983.

C. AZIZA, *Le rêve sous les ruines*, Paris 1992.

A. BARBET, *La peinture murale romaine*, Paris 1985.

J. P. DESCOEUDRES (sous la direction de), *Pompeii revisited. The Life and the Death of a Roman Town*, Sydney, 1994.

W. EHRHARDT, *Stilgeschichtliche Untersuchungen an römischen Wandmalereien von der späten Republik bis zur Zeit Neros*, Main sur le Rhin, 1987.

R. ÉTIENNE, *La vie quotidienne à Pompéi*, Paris 1977.

R. ÉTIENNE, *Pompéi, la cité ensevelie*, Paris 1987.

L. FRANCHI DELL' ORTO (sous la direction de), *Ercolano 1738-1988. 250 anni di ricerca archeologica*, Rome 1993.

L. FRANCHI DELL' ORTO, A. VARONE (sous la direction de), *Rediscovering Pompeii*, Rome 1990.

E. K. GAZDA (sous la direction de), *Roman Art in the Private Sphere. New Perspectives on the Architecture and Decor of the Domus, Villa and Insula*, Ann Arbor, 1991.

P. GRIMAL, *Pompéi, demeures secrètes*, Paris 1992.

R. GUERDAN, *Pompéi, mort d'une ville*, Paris 1973.

W. JONGMAN, *The Economy and Society of Pompeii*, Amsterdam 1988.

E. LA ROCCA, M. et A. DE VOS, *Guida archeologica di Pompei*, Milan 1981.

P. LAURENCE, *Roman Pompeii: Space and Society*, Londres et New York, 1994.

R. LING, *Roman Painting*, Cambridge 1990.

H. MIELSCH, *Die römische Villa : Architektur und Lebensform*, Munich 1987.

L. RICHARDSON JR, *Pompeii : an architectural History*, Baltimore-Londres 1988.

K. SCHEFOLD, *La peinture pompéienne. Essai sur l'évolution de sa signification*, Bruxelles 1972.

A. WALLACE-HADRILL, *Houses and Society in Pompeii and Herculaneum*, Princeton 1994.

P. ZANKER, *Stadtbilder als Spiegel von Gesellschaft und Herrschaftsform*, Main sur le Rhin, 1988.

F. ZEVI (sous la direction de), *Pompei 79*, Naples 1979.

F. ZEVI (sous la direction de), *Pompei*, I-II, Naples 1979.

Statue funéraire

Fin du Ier s. av. J. C.
Nécropole, via Nucerina, Pompéi.

Une révolution sur beau papier

Depuis sa création en 1990, Terrail relève un défi : celui de mettre à la portée de chacun des livres d'art de grande qualité.

Tous nos titres sont des créations originales. Notre équipe – auteurs et iconographes de talent, directeur de collection, directeurs artistiques, éditeur – est animée d'un même souci : ouvrir à tous les portes de l'univers de l'art sans renoncer pour autant aux exigences les plus strictes de la qualité. Photogravure, tirage sur papier couché mat, cahiers cousus et couverture souple avec rabats, rien n'est trop beau pour Terrail.

Si nous réussissons à tenir notre pari et à maintenir un prix de vente aussi étonnant, c'est que nos titres sont déjà présents sur les cinq continents, bénéficiant ainsi de tirages importants.

L'éditeur

Printed in Italy by ILG LITOSTAMPA - Gorle